SPRING CANNOT BE CANCELLED

春天终将来临

Rauchen schädigt
Ihre Lunge

［英］大卫·霍克尼　［英］马丁·盖福德　著
万木春　审订　胡雅婷 杨素瑶　译

春天终将来临

大卫·霍克尼在诺曼底

全书包括 142 幅插图

浙江人民美术出版社

扉页照片：2020年3月20日，大卫·霍克尼在他位于诺曼底“大花园”的家中，用ipad作画。

Edited and designed by Andrew Brown

This edition first published in China in 2022 by Zhejiang People's Fine Arts Publishing House, Hangzhou

合同登记号
图字：11-2021-175

图书在版编目(CIP)数据

春天终将来临 ：大卫·霍克尼在诺曼底 /（英）大卫·霍克尼，(英) 马丁·盖福德著 ；胡雅婷，杨素瑶译. -- 杭州 ：浙江人民美术出版社，2022.1（2022.4重印）

书名原文：Spring Cannot be Cancelled：David Hockney in Normandy

ISBN 978-7-5340-9000-4

Ⅰ. ①春… Ⅱ. ①大… ②马… ③胡… ④杨… Ⅲ. ①霍克尼(Hockney，David 1937-)－书信集②艺术－作品综合集－美国－现代 Ⅳ. ①K827.125.72②J171.21

中国版本图书馆CIP数据核字(2021)第180028号

春天终将来临——大卫·霍克尼在诺曼底

[英] 大卫·霍克尼 [英] 马丁·盖福德 著
万木春 审订 胡雅婷 杨素瑶 译

策　　划　李　芳
责任编辑　杨雨瑶
责任校对　黄　静
责任印制　陈柏荣
出版发行　浙江人民美术出版社
地　　址　杭州市体育场路347号（邮编：310006）
经　　销　全国各地新华书店
制　　版　浙江新华图文制作有限公司
印　　刷　中华商务联合印刷（广东）有限公司
版　　次　2022年1月第1版
印　　次　2022年4月第2次印刷
开　　本　700mm × 1000mm　1/16
印　　张　17.5
字　　数　260千字
书　　号　ISBN 978-7-5340-9000-4
定　　价　180.00元

目　录

2018年10月22日

亲爱的马丁：

我们现在从法国回来了，在那里我们度过了一段美妙的时光。上午9点半我们离开伦敦，开车前往英吉利海峡隧道。因为有活期通票，我们可以不用停车就直接开上一辆火车。当地时间下午3点或4点时，我们到了翁弗勒尔。随后我们在塞纳河口观赏到一幕壮丽的日落。

接着我们看到了贝叶挂毯——这是件杰作，其中全无灭点或阴影（艺术史上何时出现了灭点和阴影，是我对艺术史家提出的问题）。然后，我们去了昂热，看到了启示录挂毯（其中同样没有阴影），在巴黎我们又看到了独角兽挂毯。所以，在一周之内，我们已经观看了三幅欧洲最伟大的挂毯。

在巴黎，我们也去奥赛美术馆看了毕加索蓝色和粉色时期的作品，又在蓬皮杜艺术中心的立体主义展览上看了大概80件毕加索的油画，因此看到了他从20岁到30岁的作品。真是伟大的成就。

食物丰盛极了——黄油、奶油和奶酪全都可口无比。我们还发现法国对于吸烟者要比刻薄的英国友好多了。实际上，我已经决定2019年要在诺曼底画下春至之景。那儿的花更多：苹果花、梨花和樱桃花，加上黑刺李和山楂树，因此我真的充满期待。

爱你的大卫·H

I
意外乔迁

我与大卫·霍克尼结识已近四分之一个世纪，但我们生活在不同的地方——并且一直如此——这使得我们的友谊保持一定的节奏。在很长一段时间里，我们之间都是通过远距离的方式保持联系的：电子邮件、电话，偶尔一个包裹，并且我的收件箱中几乎每天都能收到源源不断的图片。有时，当他处于活动密集期的时候，可能会一次发给我三四幅图片，展示他一件作品在不同阶段的完成情况；偶尔则是吸引了他注意力的新闻中的一个小插曲或事件，然而当我们几个月甚至几年后再次见面时，我们的对话又恢复了，仿佛从未中断过一样。只不过，我们的观点一直在发生着几乎难以察觉的变化。

在我们彼此交谈的许多年里，我们周遭发生了无数的事情，而我们也越来越年长，自然而然地积累了新的经验。其结果是，即使我们重新思考一些很久以前或不止一次讨论过的东西，比如说一幅特定的图画，我们也会对某个地方感到新奇，因为它在我们以前的脑海中从未浮现过。这个地方就是**“当下”**。从这个意义上来说，视角不仅影响着画作以及创作它们的方式——这是我和大卫反复讨论的话题——而且与人类所有的事情都息息相关。我们从某个清晰的角度看待每一个事件、人物以及想法。随着时间的流逝和空间的移动，立足点会发生变化，因此我们的视角也会发生改变。

我在 2018 年 10 月收到他的邮件，我们上一次畅谈是在两年前，当时我们合著并出版了一部名为《图画史》(*A History of*

Pictures）的书，我和大卫一同住在他位于好莱坞山蒙特卡姆大道（Montcalm Avenue）的住宅中。自那时起，时光飞逝。第二年，他已年届 80 岁，在墨尔本、伦敦、巴黎、纽约、威尼斯、巴塞罗那和洛杉矶等世界各地举办了一系列展览，在全球范围内获得了殊荣。这使得他的行程被安排得满满当当，在盛大的开幕式和采访的间隙，他也在自己的工作室里忙碌着，创作了一系列出色的画作，也获得了一批学术发现。比如在 2017 年 6 月英国大选期间，我与妻子约瑟芬（Josephine）在特兰西瓦尼亚（Transylvania）旅行，手机上充斥着各种有关国内投票选举的消息，这时一条来自加利福尼亚的信息赫然出现在我的手机屏幕上，其中谈到了透视系统以及一位我闻所未闻的艺术理论家。

> 亲爱的马丁：
>
> 你了解帕维尔·弗洛连斯基（Pavel Florensky）吗？他是一位俄罗斯的神父、数学家、工程师和科学家，写过一些有关艺术的文章。他曾写过一篇很棒的文章，内容是关于反转透视法（reverse perspective）的。似乎透视法一开始被运用在剧院（古希腊的）中。我曾指出摄影术和剧院之间的联系：它们都需要照明（lighting）。总之，他是一个非常有趣的作家，却生错了时代，有点像俄国的莱奥纳尔多。他在 1937 年被斯大林枪杀。
>
> 爱你的大卫·H

附件是一篇 80 页左右的文章，在喀尔巴阡山脉（Carpathian Mountains）上用 iPhone 阅读这篇文章的确是一个相当大的挑战。尽管如此，我还是试着读了一下，果真非常有趣。弗洛连

安德烈·鲁布廖夫,《耶稣的诞生》,约 1405 年

斯基反对这样一种观点，即只有一种单一的、准确的透视法：“文艺复兴”（Renaissance）或“线性”（linear）的类型，这种透视法最早由菲利波·布鲁内莱斯基（Filippo Brunelleschi）在15世纪早期提出，其中只有一个单一的灭点（vanishing point）。相反，他坚持认为，在安德烈·鲁布廖夫（Andrei Rublev）等人所绘制的中世纪俄罗斯圣像画中描绘空间的方式同样是有效的。这些画没有一个固定的灭点，是“多中心的”（polycentred）。这里，弗洛连斯基是指“构图的构造就好似眼睛在变换位置的时候观察到不同的部分一样”。我很清楚为什么这篇文章可以引起霍克尼的共鸣。其中提到的方式也就是他40年以来一直探索的如何构造一幅图画的方式。这是他20世纪80年代照片拼贴作品（photocollages）的基础，也是2010年左右那部用18块屏幕和9台相机拍摄的电影的基础。第一封邮件发出后几天，另一封邮件接踵而至。

亲爱的马丁：

你已经读过弗洛连斯基写的那篇有关反转透视法的文章了吗？他这篇文章写得深入浅出，真是精彩极了！如果你还记得我最后发给你的那几幅画，你就会明白我的意思了。我想我们发现了一名伟大的艺术理论家。没有人认识他，就连和我交谈过的那些艺术史家也没人知道他。这真是令人难过。我知道反转透视法听起来很疯狂，但是我推荐他那本叫作《超越视像》（*Beyond Vision*）的书。写反转透视的那一篇是这本文集的最后一篇，除此之外其他的文章也都很引人入胜，令人叹服！

爱你的大卫·H

霍克尼对弗洛连斯基的热情，不仅强势地席卷了他的朋友、买家和助手，还有许多热爱艺术的公众。最终，他可能会影响人们对往昔事物的既定观点，比如哪些艺术家、技艺或艺术运动重要，哪些不重要。但他自己从不特别在意历史或批评家说些什么，这是他的力量所在。

霍克尼：我目睹过艺术世界的很多变化，大部分艺术家会渐渐被遗忘。这就是他们的命运，也可能是我的，谁知道呢？大多数艺术都将消逝。过去的艺术被修饰过，所以在我们现在看来是如此明晰。而当下的艺术总是看起来有些杂乱无章。我们能够忍受当下产生的垃圾，却不能忍受过去的。我知道另一个时代将用不同的方式来看待我们这个时代。几乎没有人知道当今真正有意义的艺术是什么，必须是极其敏锐的人才知晓这点，我也不会就此作出判断。历史之书一直在变化着。

在我看来，往往是艺术家们改变了这些历史的故事情节，他们通过做一些新鲜的尝试，从而将我们带到一个不同的新地方，在那里我们周遭的一切景色都变得不同。尽管年轻的霍克尼一直享有盛名，但他自己以及许多艺术观察者都认为他是“边缘人物”。或许，他的确是。他避开了很多艺术运动和风靡一时的潮流。在早前的一个展览开幕式上，他甚至站起来宣布自己不是个流行艺术家（近 60 年后，记者有时仍会这样形容他）。在 2018 年秋天，也就是在我准备着手写这本书的时候，他的《艺术家肖像（泳池与两个人像）》（*Portrait of an Artist/ Pool with Two Figures*）以破纪录的价格成交，成为在世艺术家在拍卖会上售出的最昂贵的艺术作品。但这要紧吗？艺术家本人极力地想要弱化这件事，并引用了奥斯卡·王尔德（Oscar Wilder）的一句话："只有拍卖师才对所有艺术流派一概推崇。"能够引起他兴趣的总是那些新兴的事物，下一幅画或是新发现。毕竟，对于任何有创造力的人来说，这是一种自然的态度，也是心理上的基本态度。一旦回头看，你便不再前进。那句关于鲨鱼的人尽皆知的话——至少在隐喻的意义上——对于艺术家来说是正确的：如果你丧失了前进的动力，那么你将会灭亡。

当人们评论霍克尼的新作品并不像他"应有"的风格时（他们说得没错），可以反映出霍克尼并不刻意地去形成一种"标志性风格"。但在其他那些方面，他变化不大。最近，我在尘封的纸箱里找到了一盒磁带，里面记录了我们第一次的对话，距今有 25 年之久了。我听了这段录音，发现尽管如今他的声音更轻柔了，但当时他讨论的内容现在仍在继续：比如关于摄影的不足之处，以及绘画的价值之类。但他时常会说出一些使我们出乎意料的东西，这种想法其他人此前未曾有过，此后也许也不会有。

我们的书信往来仍在继续。在 2020 年 10 月的一个清晨，我正在键盘上敲下这些内容的时候，我又收到霍克尼从诺曼底发来的有关两幅新作品的邮件。他的新作不断地激发着我和他新奇的想法。作为一个主要关注艺术和艺术家的作家，全新的主题、作品或历史时期都能够成为支撑我的能量。我写过的一些艺术家，尽管早已去世，但我似乎就像挚友一样熟悉他们（这无疑是传记作家们的错觉）。然而，当代艺术家的情况就截然不同了，因为他们和他们的作品都还在不断发展着。

这也解释了为什么给在世的人写传记是一件没有把握的事情。卢西安·弗洛伊德（Lucian Freud）就反对把他的生活写下来，理由是"我的生活仍在继续"。此外，卢西安大部分时间也是待在他的画室里，正如霍克尼指出的那样，在那里发生着的一切——观察、思考、作画——“在传记中是无法阐述得那么清楚的”。当然，他也是如此。就他的情况而言，他的生活和艺术在我写作的时候都还在实时进行着，因此这并不是一部传记。它更像是一本有关工作和交谈的日记，记录着一些新奇的图景，以及它们在我脑海中引发的思考。

写了一本关于大卫的书，又与他一起完成了一本书之后，我自认为对他已经足够了解。但在过去的两年里，他的作品和想法在我意想不到的领域脱颖而出——从地质学、天文学转向文学、光学、流体动力学。与此同时，全球也遭受了一场灾难性的流行病，这在一定程度上也改变了我们的观念。那些新奇的图景也正是本书的主题：一位老友经历过的新鲜事，以及由此引发我的所感所想。

*

然而，若想了解霍克尼在法国的新生活，最好知道他在移居法国之前的那段时间都做了些什么。在60多年的画家生涯中，他不断地被一阵阵的热情助推向前。他热衷于引用他前助理理查德·施密特（Richard Schmidt）说的话，他曾说过：“大卫，你需要的是新项目！”我明白这种感觉，如果没有书要写，也没有课题需要深入研究，我也会有些失去目标。我似乎需要学习或做一些新鲜的事情，我觉得霍克尼也是如此。

对他来说，为了完成这样的使命，他采取了新的工作周期这一形式。因此，从2013年底到2016年，他完成了《82幅肖像画和1幅静物画》（*82 portraits and One Still Life*），这件作品不只是一幅画作，而是占满了整个美术馆的画作。这

梅因德尔特 · 霍贝玛,《米德哈尼斯的林荫道》, 1689 年

个方案是通过一幅画作连及下一幅来展开叙述的，但通常来说，这也是一种研究形式。他最雄心勃勃的事业之一就是探究艺术史，这促使他在 2001 年出版了《隐秘的知识》(*Secret Knowledge*) 一书，随后又出版了我们合著的《图画史》(*A History of Pictures*)，后者在本质上属于历史研究 (尽管也产出了一系列新的油画和素描作品)。同样，他在 2017 年对帕维尔 · 弗洛连斯基的发现启发他创作了一组新作品，他拓展了空间，并打破了传统西方绘画的矩形画面和直角边框，从中体现了他在重新审视自己早期的图像，也重温了几位老大师的作品。

他以这种方式"引爆"的作品之一，就是 17 世纪丹麦风景画家梅因德尔特 · 霍贝玛 (Meindert Hobbema) 的《米德哈尼斯的林荫道》(*The Avenue at Middelharnis*)。在一个星期六下午的电话里，霍克尼向我解释说他一直很喜欢这幅现由伦敦国家美术馆 (National Gallery) 收藏的画作。他早就注意到这幅

《模仿霍贝玛的荷兰高木(实用知识)》，2017 年

画有两个视点，而非一个视点："树离我们很近，不是吗？因此，你必须同时仰视又正视。"他自己的画——由六张形状各异的画布组成——结合了对霍贝玛画中空间的解构和探究，观众似乎能够走进这个空间。你沿着这条林荫小路走着，四处看看，抬头看看天空，再低头望向小路。"仅仅是砍掉边角这一点就让我感到很奇妙，因为现在我可以用所有的边角创作，以各种方式来组合它们——并且由此创造空间！我对此感到异常兴奋。"

在这一年余下的时间里，由这位去世已久的俄罗斯人写的文章引发的兴奋感贯穿始终，并由此催生了一系列非同凡响的画作，霍克尼称之为"数字绘画"(digital drawings)——由无数照片在电脑屏幕上拼接合成的虚拟拼贴画。后来，2018 年秋天，他回到了伦敦，为了参加他为威斯敏斯特大教堂(Westminster Abbey)设计的彩色玻璃窗的揭幕仪式。这是我参加过的最不寻常的艺术开幕式之一，先是在这座著名的哥特式教堂的耳堂

（transept）举办了仪式，然后在回廊（cloister）举行了招待会，出席者包括他的朋友、家人以及零星几位知名的艺术家。

在中世纪的拱门下，霍克尼提到他即将去法国旅行，但一两周之后会回到伦敦，然后再待一段时间。对他来说，地点的变化往往预示着工作内容的改变，预示着新项目的开始。他很少为了旅行而旅行。有一次当他准备出发去旅行的时候，我祝他假期愉快，却惹得他不高兴了，他回答道："我 20 年来都没有休过假！"不过，从表面上看，这次旅行听起来像是一次愉快的短途旅行。若非完全可行，也许更多的是寻求可能会变成新项目的主题。霍克尼刚回到伦敦，我就收到了本章开头出现的那封电子邮件，他明确宣布了一个宏大的、雄心勃勃的想法——"2019 年的诺曼底春至"（the arrival of spring in Normandy in 2019）。看来，在他 81 岁时，他正急切地筹划着明年的活动。不久，他的脑海中浮现出更多东西：一个全新的人生阶段。

2018 年 11 月初，大卫决定延长在英国的逗留时间，于是，他在位于肯辛顿的彭布罗克工作室（Pembroke Studios）住了一段时间。他继续画着手头上的一系列肖像画，这组画是用炭笔和色粉在画布上绘制而成。我当时顺便去喝茶，恰巧碰到了这幅画的模特——艺术家乔纳森・布朗（Jonathon Brown），他是霍克尼的老朋友。一两天之后，我在理查德·史密斯（Richard Smith）作品展的开幕晚宴上遇见了他们两人，史密斯比霍克尼年龄稍大一些。我到的时候，他们一伙人都坐在外面抽烟。我们坐在不同的桌子上，并没有长谈，所以直到几天后一起吃饭，我才完全掌握他下一步的计划。他不只是打算明年在法国多待一段时间，画一些表现四时之景的作品，他甚至在诺曼底买了一幢房子。这意味着至少在一段时间内，他将会住在那里。后来我们在他的工作室小坐时，他热情地讲述了事情的来龙去

《乔纳森 · 布朗》，2018 年

脉。另一位在场的客人大卫·道森（David Dawson）曾是卢西安·弗洛伊德的助手，他作为一名画家，又是一位有着艺术家眼光的摄影师，将我们的谈话录了下来。找到这样一处地方使霍克尼兴奋不已，然后他立刻买下了那里。

霍克尼：事情是这样的：在参加威斯敏斯特大教堂彩色玻璃窗揭幕仪式之后，我们去了诺曼底旅行。我们穿过了英法海底隧道（Eurotunnel），途经加来（Calais）。我们在翁弗勒尔（Honfleur）一家宜人的小旅馆落脚，观赏日落，我们就坐在那里痴痴地看了三个小时。就像凡·高的画一样：你可以非常清楚地看到一切。太阳在我们身后，照亮着这一切。

大卫·道森拍摄的艺术家与作者在工作室的照片，2018 年

听起来似乎在一定程度上是法国西北部的阳光吸引霍克尼来到这里，这对艺术家来说是最好的旅行理由之一（普罗旺斯的阳光诱惑着凡·高南下阿尔）。买房子显然是一时冲动而做出的决定。但是，正如西格蒙德·弗洛伊德（Sigmund Freud）所言，除了雷击之外，根本不存在意外。因此，一位对法国绘画以及法式起居、饮食和吸烟方式仰慕已久的艺术家，在一位法国助手的帮助下，碰巧在他所处的地点和时间找到了一个理想的休憩地，这当然不是完全偶然的。

上文提到的助手就是让-皮埃尔·贡萨尔维斯·德·利马（Jean-Pierre Gonçalves de Lima），人们都亲切地称他 J-P。他是霍克尼的得力助手，并且也逐渐成为他生活上的依靠。很长时间以来，他一直是艺术家世界中的一部分。1999 年霍克尼为他画了一幅素描，是运用 19 世纪光学工具——投影描绘仪（camera lucida）绘制的系列作品之一，这也是霍克尼的《隐秘的知识》研究的序幕。当时，J-P 在伦敦已经是一位音乐家，他是一名手风琴师，并拥有一支出色的乐队。这支乐队曾演奏过新版姜戈·莱因哈特（Django Reinhardt）和斯特凡纳·格拉佩利（Stéphane Grapelli）风格的音乐（“格拉佩利真是一个不折不扣的天才！”J-P 有一次对我惊叹道）。对这种音乐以及大卫画作的热忱，使得我们两个人在某些方面达成了共识。

遇见霍克尼之后，J-P 的兴趣转向了艺术，以及英国偏远的一隅。他是布里德灵顿艺术家团体中重要的一员，负责布置工作室以及协调便携式绘画设备。事实上，正是有了他才使得在那里丰富多彩的数十年风景画创作成为可能。然而，他最重要的贡献之一就是聘用了乔纳森·威尔金森（Jonathan Wilkinson），他的专长为霍克尼开拓了一个全新的高科技媒体领域。

霍克尼：我们在翁弗勒尔住了四晚，然后继续南下去往巴尼奥勒-德-洛讷（Bagnoles-de-l'Orne）。在途中，我对 J-P 说："也许我们能在诺曼底迎接春天的到来。"这样我们就可以在那里看到更多鲜花的盛开，所以我提议我们应该租个房子之类的。隔天他就联系了房产经纪人。我们去巴黎的路上，他说可以去看下沿途的那座房子。我们只看了这一栋房子，人们称之为"大花园"（La Grande Cour）。我们走进去的时候，看到了那幢乱糟糟的房子，院子里还有一间树屋，我说："好吧，那就买下来吧！"过了一会儿，我有些迟疑了。我在想："住这儿会不会很冷呢？嗯……肯定会很冷的吧？"但是 J-P 说："我会把房子弄得**很暖和的**！"

霍克尼是波西米亚社会的强烈支持者，但并不喜欢与之相伴的不适感。他渴望凡·高在阿尔的"黄房子"里所经历的那种与世隔绝的感觉，生活在他的表现题材周围，能够完全专注于绘画，但不是斯巴达式的简朴：除了厨房里的炉子，没有暖气，也根本没有浴室。在布里德灵顿，他曾经说过想要"稍微舒适一些的波西米亚式生活"。的确，他在那里的生活条件——从我的角度来看，作为同道的享乐主义者——是愉悦而舒适的。

乔纳森和我们一起在工作室喝了杯香槟，然后走到肯辛顿大街（Kensington High Street）上的一家意大利餐厅，选这儿不仅是因为可口的食物，还因为这里有一个允许吸烟的室外步道区域。霍克尼大半生都住在城市里。即使他在东约克郡的十年里，他下乡画画、拍摄，也都是在一个海边小镇上进行的。然而，现在他似乎在追求另一种生活：乡村的宁静。

在圣诞节和新年期间，霍克尼回到加州续签绿卡，并且继续创作他的布面油画肖像系列。他还在阿姆斯特丹的凡·高美术馆（Van Gogh Museum）筹备了一场名为“大自然的喜悦”（*The Joy of Nature*）的大型展览，这场展览于 2019 年 2 月底开幕。和往常一样，大卫并没有打算上新闻头条，但在开幕式上就有多家媒体大肆宣传。令人恼火的是，我染上了流感，结果我不仅错过了参观展览的机会，还错过了一次意外地上国际新闻的机会。有太多人尾随着霍克尼，他被困在了酒店电梯里。最后，一队荷兰消防员把他们解救出来。显然，这个事件是媒体报道最好不过的素材了。后来大卫语带讽刺地感谢了他的公关安排了这一起电梯故障事件。尽管如此，这件事还是证明了他的名气非同凡响——达到了其他艺术家无法企及的程度。很难想象若是杰夫・昆斯（Jeff Koons）、格哈德・里希特（Gerhard Richter）、达明・赫斯特（Damien Hirst）遇上同样的麻烦，会引起媒体如此强烈的骚动。

霍克尼和荷兰消防员摆姿势让媒体拍照，2019 年 2 月

有一次，他的老朋友梅尔文·布拉格（Melvyn Bragg）若有所思地说道："大卫从艺术院校毕业后就一直很出名。这不是坏事，也不一定是好事，但很不寻常。"的确，其他艺术家，甚至是知名度很高的艺术家，通常会经历一段时间的默默无闻。例如，弗朗西斯·培根（Francis Bacon）直到35岁左右才开始崭露头角。但近60年来，霍克尼一直是人们关注的焦点。

去工作室拜访他的人纷至沓来，想与他交谈、消遣，这让他倍感压力，他抱怨道："我不喜欢出名！"（J-P立刻高呼："耍大牌！"）霍克尼享誉已久，他的知名度并不囿于艺术世界，这不仅与他的艺术有关，还与他自身——他的声音、智慧、外表有密切关系。许多艺术家都会逐渐形成自己独特的"造型"——惠斯勒（Whistler）的单片眼镜和一绺白发、吉尔伯特和乔治（Gilbert & George）的系扣西装——但霍克尼的独特之处是，在过去几年里，他演变出一系列看上去截然不同的着装方式，但显然都是他的风格。他在20世纪60年代的时尚装备是天鹅绒夹克，到了70年代是蝴蝶领结，以及90年代宽松的套装，和他最近布面鸭舌帽、黄色眼镜、设计师款针织毛衣的着装几乎没有共同之处——但这些一看就很像大卫·霍克尼的衣服，别具一格。我想他的个人风格是出于他自然而然地按照自己喜爱的方式穿着，而对别人做什么并不关心。他对时下潮流的看法就和他对照片的看法一样：总的来说，它们不够有趣。

霍克尼：如今，每个人都穿着运动服。我觉得时尚已经变得很乏味了。在我大约60岁的时候，我看到一个70岁的男人穿着蓝色牛仔裤，我曾想："好吧，他们想让自己看起来像个十几岁的年轻人。"但现在人人都这样，甚至80岁的人也如此。我可不想这样，我连一条牛仔裤都没有。

他的语调和措辞也是如此与众不同，以至于落到纸面上都能呼之欲出。同样，他的逆向思维和他所谓的“我的俏皮厚脸皮”都是天生的特点，遗传自他的父亲肯尼斯·霍克尼（Kenneth Hockney）。霍克尼的父亲参加过在奥尔德马斯顿举行的反核游行示威活动，还随身携带着自己亲手制作的抵制吸烟的标语牌。

霍克尼：我有点像个宣传者，这一点来源于我父亲。我的老朋友亨利·盖尔扎勒（Henry Geldzahler）过去常常强调我总是说：“我知道我是对的。”

霍克尼在 1995 年那盘磁带上对我说的最早的那些论断之一是：“像往常一样，人们把一切都搞错了。”他所谈的是“绘画之死”的论断以及摄影的兴起这个话题。这种反叛的倾向，即便是遗传的，对于一位艺术家来说也是一笔巨大的财富。要想在数十年间不断变化的艺术潮流中继续走自己独有的那条路，其内心势必蕴涵着强大的自信。尽管如此，为何他如此闻名遐迩而又长时间以来持续地享有好名声，甚至对他自己来说也是个谜。在早年英国广播公司（BBC）的一次采访中，他被问及：“霍克尼先生，您认为自己为什么如此受欢迎？”他停顿了一下，然后坦白地说：“我其实也不太确定是什么原因。”毫无疑问，这可能是一种负担，也可能是一种恩惠。这也许就是为何——这听起来似乎有点不切实际——他渴望有人陪伴的隐居。

电梯事故发生几天之后，也就是 2019 年 3 月初，霍克尼、J-P、乔纳森三人就去往“大花园”。他们一到，我的收件箱里就开始出现一连串的照片，通常标着“无主题”，但有时会附上简短的解释性说明。在接下来的几个月里，就像贝叶挂毯一样，大卫主要是用图片的形式来讲述他的故事。像是放假了的孩子一样，他每天早早起床，开始探索这个令人兴奋的新地方，并从中找寻自我。

显而易见，他感到很幸福，并且收获颇丰，因而我和他的其他朋友都不愿扰乱属于他的宁静绿洲。就这样，数月过去了。在 2019 年 7 月，受一本关于雕塑的书的启发，我和约瑟芬带着完全不同的任务去了布列塔尼（Brittany），参观了卡纳克（Carnac）周围的史前纪念碑。我们在对立石和布列塔尼海岸进行考察时度过了一段愉快的时光。离开前，我看了看地图，突然想到霍克尼的新房子就在不远处。我一时心血来潮，发了条消息询问他是否方便顺路去拜访。

他的回答是邀请我去住（不过我得住在附近的农舍，因为那里没有客房）。约瑟芬得回去工作了，所以她飞回家，我就在

《小鲁比》，2019 年

“和小鲁比待在一起，我正在勾画房子的素描。” 2019 年 4 月 29 日

《房前西眺》，2019 年

布列塔尼多尔（Dol-de-Bretagne）坐上了一辆横穿全国的火车。

这段旅程在地图上看起来相当短，实际上是悠闲而漫长的。那时，列车哐啷哐啷地驶进格兰维尔车站，等了足足有半个小时才再次驶出，继续缓慢行驶着。其间，我给乔纳森发了消息，和他们约好在到达的卡昂车站见面。

我上了车之后，乔纳森开着车，到达了住所的前院。霍克尼在路上并不健谈，可能是因为我坐在后面，他听不清我在说什么。然而，我们一到“大花园”，他就开始滔滔不绝起来。我们一下车，他就提议先去他的新工作室看看，在那里，我们马上聊了起来。

2
工作室创作

霍克尼： J-P 是在 12 月 15 日过来的，之后 1 月 7 日他们把钥匙给了他，他就搬了进来。1 月 15 日，工人们开始施工，改造这间工作室。他希望这件事能够尽快完成，于是他对工人们不停地唠叨（“唠叨”是霍克尼最喜欢用的词，意思是不停地和某人谈某件事，直到对方妥协并去做）。他对他们说：“这是大卫·霍克尼的工作室，他想在 2019 年创作“春至”，而不是 2020 年！”现在他们都在谷歌上检索我的名字，这样他们就可以看到作品了。

为了让工作室尽快完工，J-P 请了一位监工以确保事情进展得更顺利。这一切都在三个月之内完工了。监工说需要当局的帮助，否则可能需要四五个月的时间才行；但是 J-P 就继续按原有的方式进行，监工也同意了。J-P 一度找了 14 家不同承包商的 14 辆货车过来，所有事情都由他处理。他出色地完成了这项工程——他让这个地方变得棒极了！

3 月初我来这儿的时候，楼梯还没建成，直到完工前的一周，地板才铺好。周围还有很多工人。但我在三周之内画出了系列素描的第一幅，连同 21 张别的素描，因为我一次都没有被别人打断。晚上，我躺在床上，计划着下一步要做什么。所以我的大脑一直保持着思考。如果访客源源不断，我不确定是否能如此迅速地画出这些画来。

每个艺术家的工作室都是不同的，因为它反映了他们的个

《在工作室》，2019 年

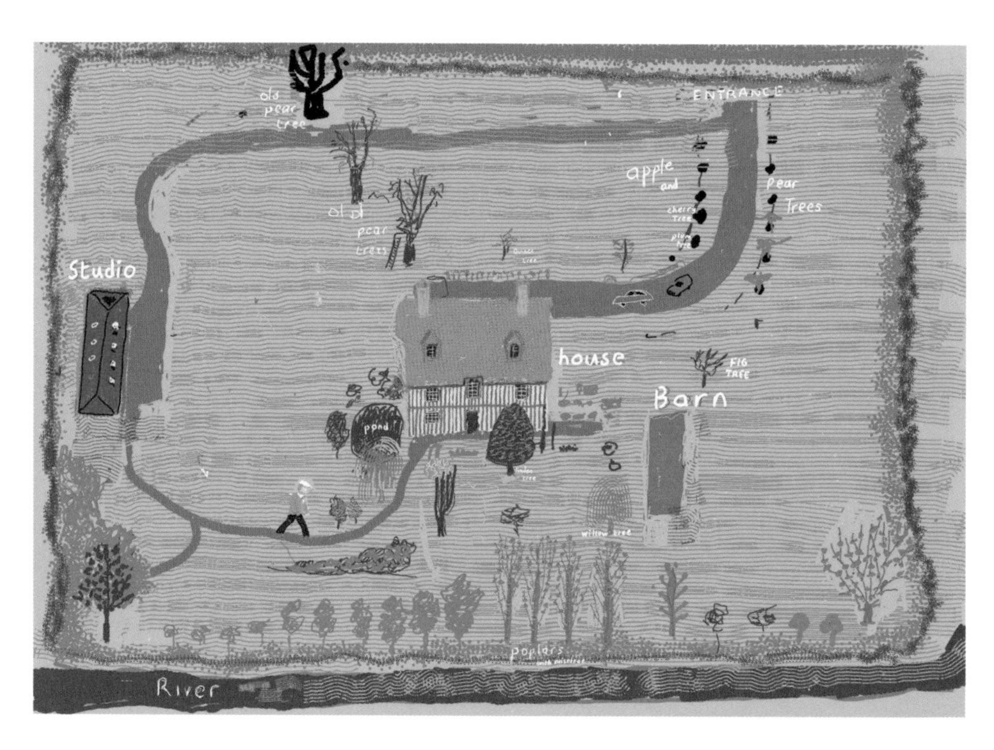

《第 641 号》，2020 年 11 月 27 日

性、习惯，最重要的是，可以反映出他们想要做的作品。工作室或宽敞，或狭窄；或井然有序，或杂乱无章。我所见过的每一个霍克尼的工作室（这是第五个）都具备自己独有的特质。在布里德灵顿，他开始在一个逼仄的临时空间里工作，这个空间隐匿于他住的房子屋檐下，以前是间小旅馆。然后，随着他画作的尺幅和野心的扩大，显然他需要一个更大的空间来创作。J-P 构思设计了第二个宽敞的工作场所，这是一个位于工业园区的巨大空间，2012 年霍克尼在伦敦的英国皇家艺术学院（Royal Academy of Arts）举办的展览中展出的巨幅画作《更大的绘画》（*A Bigger Picture*），就是在此绘制的。

这个位于诺曼底乡间的工作室是为一位画家量身定制的工作环境，霍克尼像所有大师一样，在态度、创作节奏和实际需求方面都是独一无二的。此外，这个空间与 80 岁出头的他现下的需求和兴趣完美契合。这是一间风景如画的工作室，沉浸在自然世界中，也沉浸在寂静和绿色植物之中。

盖福德：它更像是保罗·塞尚（Paul Cézanne）在普罗旺斯地区艾克斯（Aix-en-Provence）的工作室，四周被树木环绕着，贴合了他所有的绘画主题。他只需带着画布和颜料走向它们。

霍克尼：我去过艾克斯，见过他工作的地方。尽管不大，但却是个开有北窗的**名副其实**的工作室。在这儿，我就身处于**我的**主题之中。有时候，我也会去室外工作。比如，我开始在室外观察并描绘树木，但是我又回到室内画一些表现碎石路和小径的圆点——画这些要花很长时间。

当 J-P 第一次来这里的时候，他跟我讲，他意识到我们无须再开车去任何地方，而在布里德灵顿，我必须开车去找我表现的题材。这就是我们为什么选了这儿。这带来了巨

《入口》，2019 年

和鲁比在工作室，2019 年 5 月

大的变化，因为我对树木有了更好的理解，我能够**常常**端详着它们。**经常如此**。今天下午我可能会再画苹果树和梨树，因为它们现在刚结了果子，正明晃晃地挂在那里呢。树木可真是令人着迷的东西，它们是体积最大的植物，并且每一棵都不尽相同，就像我们人类一样，每一片叶子也都不一样。一天在约克郡，有一个伙计问我们为什么要一直拍这些树，他觉得每棵树都是一样的！

盖福德：我认为这是个很普遍的观点。

霍克尼： 确实。罗纳德·里根（Ronald Reagan）曾说过，当你看到一棵红杉时，你就看到了所有的红杉。但实际上它们都是独立的个体，正如我们一样。置身于树木的包围之中去了解它们，仅仅用眼睛去观察，你就会意识到为什么它们的形状是这样的，以及形成的原因。那边的树上有很多槲寄生，看起来像个鸟巢，但并不是。事实上，它杀死了树木。有人告诉我有一些树已经死了，但它们其实没有死，还长出了很多叶子。右边那棵是樱桃树，它是最先开花的，大概在 3 月底就会盛开。然后相继是梨树和苹果树。有一条通向这里的苹果树小路，你开车经过的时候可以看到路两旁鲜花盛放的苹果树，景色很是迷人。要知道，大部分苹果树都是集聚在果园里的。

现在，我需要待在这样的地方。十年前，当我签下布里德灵顿的工作室的时候，我感觉自己年轻了 20 岁。这里也是，这个地方让我感觉浑身焕发着活力。过去我常常拄着拐杖走路，但自从来到这里，我就忘记了拐杖的存在。其实我最近去洛杉矶的时候，也无须拐杖的助力。我在这里比之前锻炼得更多了，从我手机记录的步数就能看出来。我每天从家到工作室大概就要走一英里，并且我在花园里也要走不少路，轻轻松松地绕着它走上一圈就有两英里。有时候我去工作室之前，会散步到大门口，或者穿过草地，去小河那边转转。这处房产周围的景色真是太好了！这儿的小路都很漂亮，你可以沿着任何一条小路走，真的是每一条都很漂亮。高速公路距离这儿大概有 68 英里，所以我们去巴黎需要 2 小时 15 分钟。J-P 去过几次，他现在就在巴黎休假。但我自从来了这里之后，就不怎么去巴黎了，我更愿意待在这儿。

我觉得我找到了真正的伊甸园，现在这地方对我来说简直太完美了。我对别人在做什么不太关心，只对自己的工作感兴趣。我想，我正处于某种边缘，正在经历一种不同的绘画方式，我只能在这里完成。我在其他任何地方都做不到，无论是伦敦、巴黎，还是纽约。非此地不可！

*

霍克尼是一个很喜欢宅在家里的人，他的每一处住宅都舒适迷人。尽管他也关注自己房子的其他部分——例如，洛杉矶那个房子的游泳池、花园、宽敞的客厅兼餐厅，这些都是他众多作品的母题——但他最费心思的地方就是工作室，这是他生活的中心。这就是他工作的场所，通常也是他思考的地方，而他思索最多的就是他的画作。他会在绘画间隙停下来，坐下，看一看，再点上一根烟。他下午回来之后，可能只是凝视着自己完成的那部分，并陷入沉思。他的朋友、艺术家同行、住在洛杉矶的英国人塔西塔·迪恩（Tacita Dean）在 2016 年为他拍摄了一部传记电影——这是一件在本质上自相矛盾的事情。电影中用 16 分钟记录了霍克尼在他洛杉矶的工作室中花很多时间做的事情：抽着烟，揣摩着自己挂在墙上的那些画作。仅此而已。他只是在吞云吐雾，有时还会嘲笑自己的想法。你看着他正在沉思默想，或许他是在回顾 82 幅肖像画这一系列作品，这些画很快将会在皇家艺术学院展出，其中几幅就挂在他身后的那面墙上（包括一幅描绘迪恩儿子的肖像画）。

霍克尼：我以前读过奥古斯都·约翰（Augustus John）的传记，我认为他花了太多时间在工作室之外，做什么也好，安排什么也好，反正这些都并非**工作室**分内之事。

布鲁诺·沃尔海姆（Bruno Wollheim）拍摄的电影《更大的绘画》（*A Bigger Picture*）讲述了霍克尼在布里德灵顿的早期生活。影片片花中有一个段落镜头，是一天晚上在工作室阁楼里拍摄的，霍克尼在其中表达了他喜欢看自己的创作成果。“我喜欢看着它们。我的新助手莫·麦克德莫特常常说：‘大卫，我是你第二大粉丝。’我一时以为他的意思是说我的母亲是我的头号粉丝。但如果你自己不喜欢你的画，你就不会继续下去，对吧？”（弗兰克·奥尔巴赫［Frank Auerbach］曾表明，这一想法的推论是，如果你认为下一部作品不如上一个，那么你就不会继续进行下去。）

在同样一个短短的段落镜头中，霍克尼在与沃尔海姆聊天时继续说道：“我想艺术家总是为自己而画，真的，即使是委托的作品，他们也会按自己的方式去创作。”他也跟我说过类似的话：他明白人们购买之后会收藏他的作品，这是理应的常规流程，“但讲真的，我觉得这些作品都还是属于我的。”艺术家们对自己的创作采取了两种截然相反的态度，一种是完成创作之后就立马失去了兴趣；另一种则是像霍克尼和凡·高这类艺术家，喜欢被自己的作品紧紧环绕着。

几年前，在接受第 4 频道（Channel 4）主持人乔恩·斯诺（Jon Snow）的采访时，霍克尼若有所思地说：“在洛杉矶的这些天里，我真的每天都待在工作室里。这就是我唯一想做的。”他在过去几年创作的画中，都是有关那间屋子的思考、从那里萌生的想法，它的存在方式既是一个精神空间，也是一个物质空间：是创作图画的地方，也是构思它们的地方，后者是从前者发展而来的。这种对工作室的描绘是对艺术家世界的表现，也是对他们的精神图景的描摹。霍克尼将这类作品中的一些称为“摄影式绘画”（photographic drawings），是将位于蒙特卡姆

大道的画室按照巨大的比例放大描绘，并且也包含了在这个工作室里创作的数不胜数的画，其中一些是对工作室本身的表现，有时候里面挤满了各种各样的人，有朋友、助手和观众等。

在其中一张展开的全景式照片中，霍克尼站在中间，周围环绕的是他在 2017 年夏天接连不断的活动期间创作的全部画作，当时恰逢他 80 岁生日前夕。在这个系列中，他重新创作了一些自己以前画过的作品，以及一些前人的作品，如梅因德尔特·霍贝玛（Meindert Hobbema）和 15 世纪佛罗伦萨的弗拉·安吉利科（Fra Angelico）的作品。他在每一幅重温早期绘画的创作中，都切掉了底部的两个边角，为的是摆脱传统画布的直角边。墙上和画架上的每一幅独立画作都包含了多种视角，

《在工作室，2017 年 12 月》，2017 年

让观众更接近主题，进入画面中的空间或徘徊于周围。并且，工作室中的每个物件也都有不同的视角。

霍克尼：照片中的每张椅子都有一个灭点。所以你会盯着每张椅子看。但如果只是整个屋子的一张照片，你就不会这样做。

正如他跟斯诺解释的那样，“这是数字在作祟，这就是数码摄影”。在拍摄这张包罗万象的、自传式的照片前后的那段时间（也就是被他命名为《在工作室，2017 年 12 月》的这张），霍克尼一直和乔纳森一起探讨这种摄影的可能性，乔纳森是他所有技术问题上不可或缺的助手。

让-安托万·华托，《皮埃罗》（又名《吉尔》），约 1718—1719 年

霍克尼： 乔纳森对我们产生了很大的影响。J-P 找到了他，我意识到在他的帮助下我们可以做更多的事情。我们从未停止过。我们运用打印机来创作所有的肖像画和风景画，还有 iPad 作品、电影等等。他就是我们的计算机专家，我们很需要他，因而他现在成了我们创意团队的一员。若是没有他，我们也就无法完成把九台摄像机放在一起拍摄的电影，我们也无法完成数字绘画。如果没有一个技术人员确切地知道怎么做，我们也就无法展开那些项目。乔纳森总是说每周都有新的软件问世，这样我们就能做一些去年做不到的事情，尤其是我们创作作品的新技术。一旦完成了作品，我也就不会考虑其中的过程是怎么发生的。但乔纳森告诉我："好吧，其实本来是需要花上几天时间的，但现在我们在 20 分钟之内就能做完。"

在这张照片中，霍克尼身处由他在脑海中构思并用不同媒介亲手创作出的各种不同的空间之中，就像普洛斯佩罗（Prospero）被自己利用法术唤起的奇观所环绕着一样。他脑海中浮现的参照作品就是伟大的画家前辈让-安托万·华托（Jean-Antoine Watteau）约在 1718 至 1719 年创作的肖像画《皮埃罗》（*Pierrot*）（又名《吉尔》）。他在一封邮件中，将两张图片并列排版发送给我，没有附上任何文字。由于画中人物孑然一身的形象，此画常常被认为是艺术家的一幅自画像，至少是一种诗意的隐喻。霍克尼可能会同意巴勃罗·毕加索（Pablo Picasso）的说法："当我创作时，过去的艺术家伴我同行。"（当然，他脑海中最常出现的一位就是毕加索本人。）

然而，2017 年 12 月，当霍克尼在自己创造的世界中构思宏大的构图时，他实际上想的是另外一个例子。

霍克尼：我想到了古斯塔夫·库尔贝（Gustave Courbet）的《画室》（*The Painter's Studio*）。

盖福德：艺术家的工作室本身就是一个丰富的艺术母题，可以编织出各种各样的主题：艺术的创造，以及对图像、表象、现实的创造……

霍克尼：……画室里的和画室外的。

这些绘画构成了一个珍贵的题材。比如，17 世纪的荷兰就有几个这样的例子。但是库尔贝用高 3.5 米、宽 6 米的画布来创作这类画是很稀奇的。他给这幅画起了一个特别而发人深省的题目："画室：一个真正的寓言，决定了我七年的艺术和道德生活的一个阶段"（*L'Atelier du peintre: Allégorie réelle déterminant une phase de sept années de ma vie artistique et morale*）。有数百页的学术文章都致力于讨论"真正的寓言"这一语义矛盾的短语。实际上，库尔贝和霍克尼一样，在画中描绘了被自己画作包围的场景。他画中所描绘的工作室位于巴黎的奥特弗伊大街（Rue Hautefeuille），一个像霍克尼最大的工作室一样宽敞的空间（实际上，它是一个经过改造的中世纪小修道院的一部分，我们看到的部分就是礼拜堂的半圆形后殿）。

但是库尔贝在画这个场景的时候并不在现场，他当时在法国东部弗朗什孔泰地区（Franche-Comté）的奥尔南（Ornans），他的家乡就在那里。因此，他作画时不得不根据自己的记忆来再现这个房间。画中围绕在他身边的大部分人也无法到场作为模特让他参照。正如题目所示，这些都是真实存在的人物，他们多半在库尔贝的生活中扮演着重要的角色，比如在画面最右端坐着的那位是诗人、评论家夏尔·波德莱尔（Charles Baudelaire）。他们大多数人也都在巴黎。库尔贝是出了名的画

古斯塔夫·库尔贝,《画室：一个真正的寓言，决定了我七年的艺术和道德生活的一个阶段》（局部），1854—1855 年

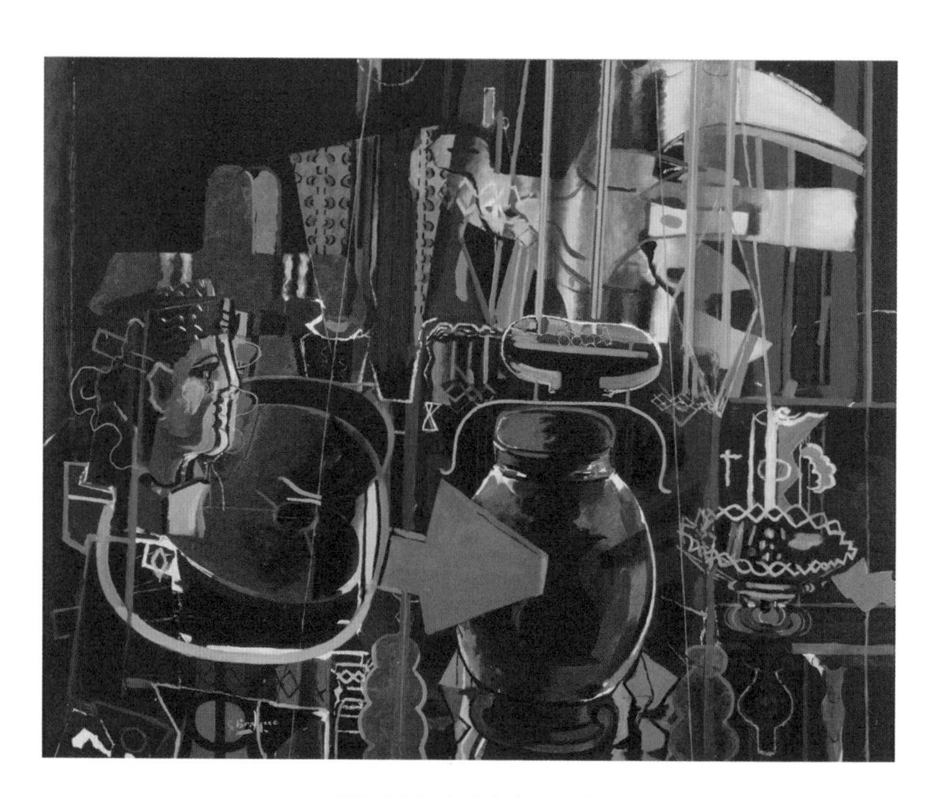

乔治·布拉克,《工作室 II》，1949 年

画时不能没有模特在前的画家，所以他不得不根据他画过的肖像画来画这些人物（有一次，他让一位收藏家寄给他一幅指定的作品，以便他参照）。画面中，在他身后正在凝视着什么的那位裸体女性，也是根据他让朋友寄来的照片描绘的。想要在弗朗什孔泰地区的乡下找到一位裸体模特恐怕是很难的，但他认为她需要出现在画中。

因此，总体而言，《画室》的绘画方式和霍克尼在洛杉矶工作室的摄影式绘画很相似，都是某种对新旧作品的拼贴，包括将并非他们亲眼所见的真实物体和人物进行组合。霍克尼的工作室和库尔贝在巴黎的那间空旷的工作室很像，正如他的朋友的朋友朱尔·卡斯塔那雷（Jules Castagnary）描述的那样："在角落处的那卷巨大的画布，就好似被小心翼翼地收起来的帆。没有任何奢华的地方，甚至平凡的舒适也没有。"但它却成为艺术家发挥视觉想象力（并起作用）的场所。画家的工作室之所以成为艺术的主题，这也是背后的主旨。这就是为什么乔治·布拉克（Georges Braque）选择自己的工作室作为一系列作品的主题的原因，这些是他晚年最棒的作品。在这些作品中，每一幅都被简单地命名为"工作室"（L'Atelier），空间变得富有弹性，画作融入了它们被创作出来的地方。实际上，布拉克是在描绘自己的精神世界，这不仅包括一种绘画方式，还包括一种普遍的哲学。他后来宣称："一切都有变形的可能，一切都因环境而改变。所以，当你问我，在我的某幅画中是否有一个特定的形象描绘了女人的头、鱼、花瓶、鸟，还是同时画了这四种，我无法给出一个明确的答案。"

碰巧的是，布拉克曾在诺曼底海岸的瓦朗日维尔-梅尔（Varengeville-sur-Mer）工作过一段时间，此地就在"大花园"的北边。霍克尼提到另一位立体主义（Cubism）的创始人毕加索的次数远远多过布拉克。但是上述引语听起来实在是很像他说的话，还有布拉克对一位画家同行让·巴赞（Jean Bazaine）说的话也是如此："我沉浸在我的画布中，就像园丁沉迷于他的树木中。"

*

霍克尼：他们把房子内部翻新了一下，但还是乱糟糟的（higgledy-piggledy）。J-P 喜欢用这个词。显然，对应的法语单词就没有这么有趣了。

工作室的类型五花八门，正如有各种各样的助理一样——这也意味着有各种各样的艺术家。一些有影响力的画家完全靠自己工作，只身一人，在一间只有画架和颜料的工作室里创作着。还有一些艺术家雇佣的人力数目多到好比一间小工厂。因此，每个艺术家的工作室的人数各异——有些人非常忙碌，喜欢社交；有时这个地方的居民也会自然而然地参与到艺术家的作品中去。因此，在霍克尼 2014 年的作品《四只蓝色凳子》（*4 Blue Stools*）之中，这是从他在洛杉矶工作室拍摄的照片中衍生出的幻想情景作品，乔纳森·威尔金森和 J-P 都露了脸（乔纳森出现了两次），洛杉矶团队的另一位成员乔纳森·米尔斯（Jonathan Mills）还有其他朋友和熟人也出现了。近年来，霍克尼频繁地用各种媒介来描绘 J-P 和乔纳森，就像卢西安·弗洛伊德一次又一次在油画和蚀刻版画中描绘大卫·道森（David Dawson）一样。

助理，就像他们在其中工作的房间一样，自身形成了一个主题，一种艺术的子类型。例如，在所有这类肖像画中，委

《四只蓝色凳子》，2014 年

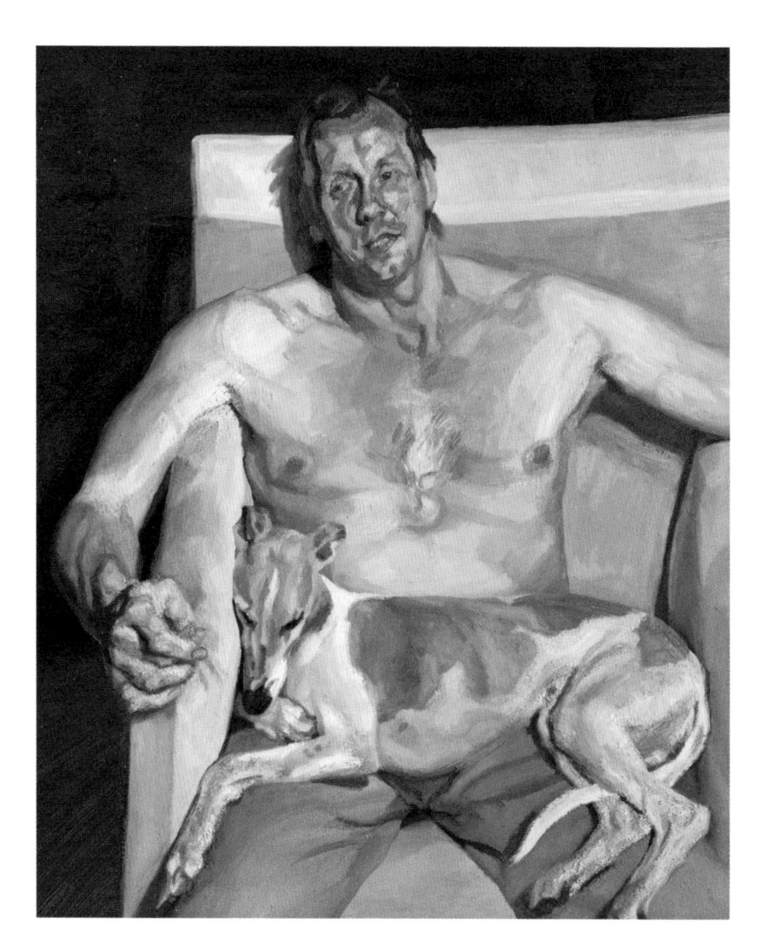

卢西安·弗洛伊德，《伊莱与大卫》，2005—2006 年

《让-皮埃尔·贡萨尔维斯·德·利马 I》，2018 年

拉斯开兹（Velázquez）画助手胡安·德·帕雷哈（Juan de Pareja）的一幅画是最为精彩的作品之一。这表明了工作和生活在工作室里的人们之间的亲密关系。在文艺复兴时期的威尼斯，艺术创作通常是家族生意：例如，丁托列托（Tintoretto）跟他的儿子多梅尼科（Domenico）和女儿玛丽埃塔（Marietta）一起工作。安迪·沃霍尔（Andy Warhol）“工厂”（The Factory）的常客们在20世纪60年代的纽约形成了一个小型社会和反主流文化世界，在那里有些人协助作画，有些人主演电影，还有些人只是闲逛。因此，任何工作室的助理，其实际工作都是极其灵活多变的。有时候，由他们来代笔创作，就像过去鲁本斯（Rubens）在安特卫普的大型工作室中那样。这也是昆斯工作室现在的运作方式。另一些助理，像J-P和乔纳森，甚至不用拿起画笔或木炭，就能以切合的方式提供帮助。

但他们，还有霍克尼身边其他人，做的还不止这些。他们创造了一个社交和情感支持系统，一个可以让霍克尼生活和工作的世外桃源。值得注意的是，霍克尼说话时经常用“我们”来代替“我”。这种习惯让我想起我认识的一位有名的爵士小号手，他总是播报“我们”接下来将演奏什么，并感谢观众前来观看“我们”的演奏，即使他演奏的是局部的节奏部分。和他一样，霍克尼往往从乐队的角度来进行思考。

米开朗琪罗（Michelangelo）也是如此。这位大师身边总是有助手来帮他完成一些工作——比如为湿壁画准备灰泥层——但他们也在他周围形成了一个闭合的圈子，一个全是男性的替代性家庭。米开朗琪罗和他们一起旅行，与他们一同生活，在他们生病时感到烦恼，在他们去世时感到悲伤。

霍克尼：我可能会喜欢米开朗琪罗的世界。许多艺术家都有对他们来说很重要的助手。莱奥纳尔多的萨莱，偷了主人的东西，但莱奥纳尔多原谅了他。对我来说，莫·麦克德莫特就相当于萨莱。莫做了那样的事情，但我原谅了**他**。

麦克德莫特是为霍克尼效力时间最长的助手，从 1962 年到 1988 年间断断续续地跟随霍克尼工作，直到（因饮酒）去世。他本身就是一位艺术家，但是他在弗洛伊德所谓的“士气”领域扮演着同样重要的角色。实际上，和在实际操作中一样，助手们通常在艺术家的情感和心理上起到了很关键的作用。

霍克尼：莫总是说一些谐音梗和引人发笑的俗语。我那次正受考文特花园剧院（Covent Garden）之托绘制大卫·韦伯斯特爵士（Sir David Webster）的肖像画，这是我唯一受委托创作的肖像画，莫称这幅画为“郁金香·布思爵士”（Sir Tulip Booth）。他想出这个词是因为他记得与“韦伯斯特”（Webster）有关的事：在 20 世纪 50 年代，有一位歌手叫韦伯斯特·布思（Webster Booth）。他是一位男高音歌唱家，与他搭档的是女高音安妮·齐格勒（Anne Ziegler）：安妮·齐格勒与韦斯特·布思。模特前面的桌子上放着一瓶郁金香，所以莫称这幅画为“郁金香·布思爵士”（Sir Tulip Booth），我很是喜欢。我想，在卢西安为大卫·道森画的一些画中，卢西安其实告诉过你他爱大卫。他对女人就不一定了，和她们在一起，他可能会很冷淡。但是跟大卫在一起，他就不能自已了。大卫自始至终为他倾尽所有，我相信他激励了卢西安。我有 J-P，他也**激励着**我。并且每天他都让我开怀大笑。

《第 421 号》，2020 年 7 月 9 日

3
波西米亚式的法国生活

下午晚些时候，乔纳森开车载着我沿小路开了一两英里，带我到了一家农庄民宿，霍克尼的访客通常都在此入住。安顿下来后，我晚上 7 点半回来吃晚饭，都是些乔纳森从当地商店采购来的高蛋白食物。结果就变成了带有简单实用的约克郡风格和鲜明的男性化食谱特征的法式晚餐，菜肴包括一只肥美的螃蟹，一大块馅饼，一大堆火腿、面包、黄油，以及一瓶红酒。我们在室外池塘边的一张桌子上吃饭。除了偶尔听到青蛙和蟋蟀的叫声以外，周围一片寂静。

我们边吃边喝，话题转向了旅行和不断迁居的弊端上。这里就有了一个进退两难的问题：搬家的过程让人疲惫不堪，并且常常很乏味，但在新址的经历可能会令人振奋不已。

霍克尼：我打算采纳伦勃朗的建议：不要旅行，即使意大利也别去。现在在洛杉矶，对我来说，有太多干扰。坐飞机到那里需要 11 个小时，我也不太想去。我在这里找到了我真正喜欢的地方。

我将美国爵士钢琴家迪克·韦尔斯特德（Dick Wellstood）曾经说过的一段话与大家分享，他是我很崇拜的一位艺术家。在一场精彩的表演之后，他就像《黑道家族》（*The Sopranos*）中的人物一样，用浓重的纽约口音宣布：“呃，音乐是免费的，但我收的是旅行费。”

霍克尼：[大笑] 这像是个艺术家能说出的话！很有态度！看啊，有只兔子！[一只瘦小而敏捷的兔子大步流星地蹿过，与肥硕的英国兔子大不相同。]

大卫似乎从这一句话就猜出了迪克的整个性格，就像一位古生物学家从一根骨头重组了一只恐龙。当然，霍克尼过去就像透纳（Turner）一样，是一位游历甚广的艺术家（不像康斯太布尔，他更喜欢待在家里，在熟悉的地方作画）。他曾访问中国、日本、黎巴嫩、埃及、挪威和美国西部，并在不同的地方制作图画。在他漫长的职业生涯中，他先后在布拉德福德、伦敦、布里德灵顿还有洛杉矶定居并工作过，当然还有法国。人们有时会忘记他在 20 世纪 70 年代中期在巴黎居住过，所以现在实际上是他的**第二个**法国时期。

盖福德：您自认为是一位英国艺术家、美国艺术家，或许现在还认为自己是一位法国艺术家？

霍克尼：如果你问我住在哪里，我会说无论哪里我都可以待。我是住在洛杉矶的英国人，现在又居住在法国。我要给法国人看看我是怎么画诺曼底的！

盖福德：现在你在乡村进行创作，像莫奈（Monet）和毕沙罗（Pissarro）一样，但你第一个法国工作室是在巴黎。

霍克尼：对，我从 1973 年到 1975 年确实住在市中心。我住在托尼·理查森（Tony Richardson）在侯昂庭院（Cour de Rohan）的公寓里，那是个小院子，跟那条有趣的老街——老戏剧院路（Rue de l' Ancienne Comédie）并行，离圣日耳曼大街（Boulevard Saint-Germain）只有 100 码。当你向窗外望去，那里就像一座小村庄。

巴尔蒂斯，《圣安德烈商业廊道》，1952—1954 年

侯昂庭院是这座老城幸存下来的一部分，但很多地方都被拆毁了。12 世纪由菲利普·奥古斯特（Philippe Auguste）国王建造的部分城墙至今仍在；其他建筑是 16 世纪亨利二世（Henri II）下令建造的。这不仅仅看起来像一个村庄；巴黎市中心的老城区周边建筑非常密集而紧凑，就像身处在一个小社区一样。霍克尼养成了到处走走的习惯：去卢浮宫和其他博物馆，还去了咖啡店和餐馆，无须搭乘出租车。

1981 年，大卫的朋友斯蒂芬·斯彭德（Stephen Spender）和同伴去中国旅行，他的日记中描述了 1975 年 3 月游历巴黎时的经历。当他到达巴黎的时候，坐出租车去看圣日耳曼大道上的乔治·丹东（Georges Danton）雕像，这是霍克尼吩咐他的客人们要注意的地标，他会说："你们只要路过了它，就能找到我了。”斯彭德写道，霍克尼工作室所在的公寓“位于巴尔蒂斯（Balthus）住过的一个院子里”。一天晚上，当他们一起走到穹顶餐厅（brasserie La Coupole）时，霍克尼指出了一处“与巴尔蒂斯的画作一模一样”的风景。巴尔蒂斯（巴尔塔扎·克洛索夫斯基·德·罗拉［Balthasar Klossowski de Rola］）从1935年起在侯昂庭院3号生活和工作。他在1952年至1954年间创作了《圣安德烈商业廊道》（*Le Passage du Commerce-Saint-André*），仅比霍克尼来到这里早了20年。小院子对着一条连接圣日耳曼大道和圣安德烈艺术街的小路，这正是霍克尼和斯彭德去吃饭的必经之路。他住在旧波西米亚巴黎的中心。库尔贝的画室就在附近，位于豪特菲耶街（Rue Hautefeuille）上，也正是夏尔·波德莱尔（Charles Baudelaire）出生的那条小街；德拉克洛瓦（Delacroix）的工作室在富斯滕贝格广场（Place Furstenberg）附近，莫奈和巴齐耶（Bazille）的也是，20世纪80年代霍克尼曾在那里创作了一件照片拼贴作品；毕加索的工作室也在附近，位于奥古斯都大帝大街（Rue des Grands-Augustins）。

到了20世纪70年代，伟大的时代已经逝去，但距今未远。起初，霍克尼认为旧波西米亚巴黎已经完全不见踪影，但后来他意识到可能自己正在经历着旧波西米亚巴黎生活的最后时光。贾科梅蒂（Giacometti）在1966年去世；毕加索几十年前搬到法国南部，然后在那里去世。但霍克尼当时过着和他们一样的生活。他的日程安排是：在花神咖啡馆吃早餐，然后返回公寓画到午饭时间，午餐在“附近的小餐馆”吃，然后工作到五六点左右，再去花神（Flore）或双叟咖啡馆（Les Deux Magots）。

霍克尼：这太棒了，因为在过去的两年里，我光去了咖啡馆。我喜

《富斯滕贝格广场，巴黎，1985年8月7日、8日与9日》，1985年

欢那种生活，可以在那里见所有的朋友，也可以随时起身回家。去年，各种各样的访客纷至沓来，有美国人、法国人、英国人。他们可能下午3点来，一直待到半夜。但是我家只有一个房间，我在里面画画。太糟糕了，几乎每天都是如此。最后，我只好收拾行李回到了伦敦。

霍克尼的独特之处在于，许多人可能只看到**波西米亚式生活**中诗情画意的一面，但他注意到这种生活方式的内在秩序：这些“波西米亚人”（特指放荡不羁的艺术家——译者）是有紧迫感并且高产的人，这一要素是必不可少的。

霍克尼：20世纪30年代，毕加索通常在傍晚去双叟咖啡馆或花神咖啡馆。他的工作室离这里只有几分钟的路程，但他总是

在 10 点到 11 点之间回家，并且要在 11 点之前上床睡觉。他从来不狂喝滥饮——这对于一个西班牙人来说有点奇怪。我想他**肯定**是有自己的生活规律，因为他每天都工作，就像我一样。

盖福德： 说实话，40 年后的今天，你每天的日程安排听起来也没什么两样，除了去卢浮宫和那些咖啡馆。

霍克尼： 嗯，还是有些变化的。最近，我通常晚上 9 点半就上床。大部分夜晚，我们都会去离我们最近的村庄里的一家小餐馆，这个地方位于伯夫龙昂奥日（Beuvron-en-Auge），是法国最美的小镇之一。这边实际上是工人常去的小餐馆，

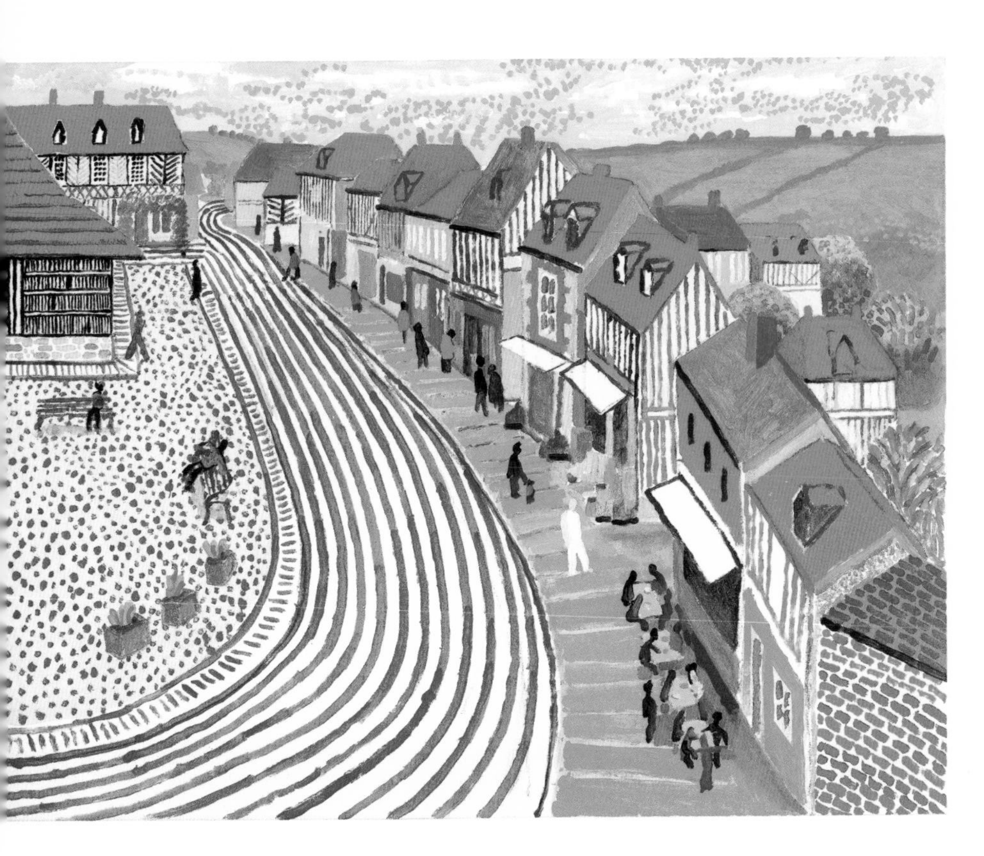

《伯夫龙昂奥日全景》，2019 年

> 花 14 欧元就能吃到搭配四道菜的一餐。这儿每天都卖牛肚，我吃的是卡昂式牛肚（à la mode de Caen），用苹果汁、苹果白兰地、牛肚肠烹调而成——这是我总爱吃的一道菜。实际上，我吃得比在洛杉矶时还好。我的呼吸也顺畅了许多，所以感觉都很好。我觉得自己仿佛身处天堂，这样的生活又有什么不妥呢？

就在我们谈话间，二战结束几年之后在约克郡的一个夜晚在我脑海中浮现，那时，霍克尼同时发现了歌剧、古典音乐和巴黎镀金的贫民窟的美丽。

霍克尼： 20 世纪 40 年代晚期，剧院仍然很流行。我的父亲以前每周六晚上带我们去布拉德福德阿尔罕布拉剧院（Bradford Alhambra）。通常只是两场表演，一场紧接着另一场，有可能是场喜剧，也可能是场杂耍，而演员都要唱支歌来亮相。通常，管弦乐队仅由五个人组成。但是当卡尔罗莎歌剧团（Carl Rosa Opera Company）带着剧目《波西米亚人》（*La Bohème*）来到镇上时，管弦乐队壮大到 20 多人。我们从顶层楼厅往下看——我们的站票六便士一张——这样就能确切地数出表演者的人数。尽管我当时只有十一二岁，但我却能意识到那确实是更棒的音乐。我的父亲说："哦，有些晚上是那样的。"不过他不太在意那些，因为那里没有变戏法的人或者杂技演员。那才是他喜欢看的，也是剧院所具有的东西：各种各样的表演，而不仅仅只有明星。多年来，晚间演出每天都有两场，第一场在 6 点整开始，而第二场在 8 点半。由于电视机的普及，这种剧院在我 15 岁左右逐渐消失了。

《波西米亚人》是我看过的第一出歌剧。我查过，它大约于 1949 年在布拉德福德上演。我能看出来的是，这部歌剧是有关在巴黎的那些艺术家们的。我当时对音乐一无所知，但我**很喜欢**它。

盖福德： 那种老式的波西米亚风格可能看起来随性而从容，但从 19 世纪到 20 世纪中期，围绕着那些咖啡桌，迸发出很多艺术、文学以及新思想。印象派、超现实主义和立体主义艺术家们都曾坐在这些地方交谈，还有那个时代半数的伟大作家们也是如此：詹姆斯·乔伊斯（James Joyce）、欧内斯特·海明威（Ernest Hemingway）、格特鲁德·斯泰因（Gertrude Stein）、弗朗西斯·斯科特·菲茨杰拉德（F.

Scott Fitzgerald)。你可以把波西米亚想成一个智库，而不是一群酗酒者和聚会爱好者。这些艺术家的成就很大程度上归结为从一个新颖的视角来观察生活、语言和世界：正如布拉克和毕加索的绘画描绘了那些桌子上胡乱摆放的眼镜、酒瓶、烟斗和报纸，但在混乱中可见反传统的新潮流。

霍克尼：对！这不正是你需要的吗？能从不同角度看问题的人。人们告诉你，你应该为未来牺牲现在，因为未来将会很棒。但他们怎么**知道**会很棒呢？没有人知道。你必须活在当下。现在才是永恒。你需要一些怪人。这就是你为什么需要很多艺术家，不仅仅是画家，而是各种各样的艺术家。他们从另一个角度观察生活。

在过去，不守规矩的人在英国或美国可以体面地生活下去。波西米亚的特点是，大家都清楚得用钱来滋养生活，但这并不是一定要去追求金钱。波西米亚人很鄙视这样的事情。这就是我在纽约东村和洛杉矶所认识的波西米亚，也是我喜欢的一种生活方式。但那些真正平价的地方已经不复存在了。对大多数艺术家来说，现在的曼哈顿实在是太贵了。波西米亚已经消逝。我第一次去那里的时候，就住在九街。我一到，他们就对我说：“你一定要看这场演出，你一定要看那场演出！”我照做了，他们总是让人感到很兴奋。我会去格林尼治村的荒诞派剧场。但是，一切都消失了。再没有像 54 俱乐部（Studio 54）那样的地方了。金钱已经占据了上风。如果年轻人不能搬进来，城市就会消亡。巴黎就是这样，在这里生活太贵了。在过去那个黄金年代里，年轻人可以从外省移居到那里。洛杉矶可能还有一点波西米亚的影子，年轻人也确实会去那里。如今没人能够轻易地去曼哈顿生活，但是如果来洛杉矶的话，你可以买一套房子和一辆车。所以年轻的画家们都选择去那里，其中有些还是相当不错的画家。

*

1973年霍克尼搬去巴黎的部分动机，与他20世纪60年代在美国待了那么长时间，然后搬到洛杉矶，现在又搬到诺曼底的原因是一样的：他总觉得自己的祖国让他拘束而沮丧。

霍克尼：无聊的老英格兰。这个不能做，那个也不能做。这就是我多年以前去加州的原因。我总觉得英国有很多自怨自艾的人，还有很多灵魂卑劣的人。唉，在我看来，这些卑劣的灵魂现在又出现了！

当他说这话的时候，我指出，同样的话他已经说了将近50年了。如果说他处理艺术的方法非常灵活，那么他对某些问题的看法——比如英国人小气、扫兴的姿态——却是始终如一的。在为我的《现代主义者和特立独行者》（*Modernists and Mavericks*）一书做研究时，我发现他在1966年1月向《星期日泰晤士报》（*Sunday Times*）的阿提克斯（Atticus）发出了几乎完全相同的抱怨："生活应该更让人振奋，但他们[伦敦]所有的规章制度都让你觉得束手束脚。我曾经觉得伦敦很让我兴奋。和布拉德福德相比，的确如此。但与纽约或旧金山相比，这不算什么。我准备4月去那边。"1975年，在巴黎的黄昏时分散步时，他再次向斯彭德发出了类似的抱怨，斯彭德在自己的日记中这样记录："在路上，大卫说比起伦敦，他更喜欢巴黎，因为伦敦枯燥无味、死气沉沉，没有夜生活。如果你想潇洒一把，就只能在昂贵的酒吧花一大笔钱，那也没有咖啡馆那样的地方。”矛盾的是，霍克尼对英国极端拘束的生活很不满，但当他摆脱这些束缚之后，他就立即建立起一种令人生畏的生活模式：日复一日地画素描、画油画、工作。画家弗兰克·奥尔巴赫（Frank Auerbach）曾自嘲道，他自己坚定而永无止境的日常计划也是如此：

> 没有人进入艺术行业是因为他们对自己说：“噢，我的天呐，我想我不能忍受在银行或办公室工作的自由状态。让我们进入艺术领域，因为至少会有一个固定的时间表，这样我就知道我每天在做什么了。”我过去以为选择从艺是一种自由，我无法想象干一份朝九晚五的小职员工作会是什么样子。但这种活动的自由和兴奋，迫使我进入了一种严格得多的一周七天的工作生活，这甚至比我从事那些更实用的工作更忙。如果我成为一名律师，想想会有多少变化和令人兴奋的事情吧！

那些富有创造力的人们的生活可能看起来是杂乱无章的，他们的周遭环境可能确实是凌乱的。但是，正如蒂姆·哈福德（Tim Harford）在他的《混乱》（*Messy*）一书中指出的那样，“杂乱无章、无法量化、粗糙、无序、不协调、即兴、缺憾、不连贯、随机、含混不清、模棱两可、难解、变化多端，甚至肮脏”都有其优势。在那些状态之下，我们才能获得真知灼见，才能有所发现。也许这就是为什么毕加索宣称：“我不寻找，只是发现。”如果你所做的每一件事情都是经过精心把控和预先计划好的，那就不大可能发现什么了。霍克尼喜欢引用17世纪诗人罗伯特·赫里克（Robert Herrick）的《凌乱无序之乐》(*Delight in Disorder*)中的诗句："一条鞋带维系，漫不经心 / 目击一种狂野文明：/ 比起艺术，笔笔无比精细 / 更叫人心醉神迷。"(A careless shoe-string, in whose tie / I see a wild civility: / Do more bewitch me, than when art / Is too precise in every part.) 另一方面，除非你一直在寻找，否则你不会获得很多；而如果你没有精力、技巧和决心，你也无法通过你的发现做很多事情。

霍克尼在巴黎找寻的其中一样东西就是技法。1975 年，当他和斯彭德一起前往穹顶餐厅的时候，他还抨击了当时英国教育中的"去技艺化"(deskilling)：他"相当愤怒地谈论了英国的艺术现状……在他参观的某所艺术院校中带他参观的人说，'在这里，学生们想做什么就做什么'，就好像是幼儿园一样"。斯彭德指出，霍克尼现在"敢于说他讨厌现代艺术"。但更准确地说，他是被当时的**当代**艺术的某些倾向激怒了，尤其是动手技能逐渐消失这一点。后来有一天，我们在看扬・维米尔(Jan Vermeer)的杰作《绘画艺术》(*The Art of Painting*)时，霍克尼将这一点称为"绘画的手艺"。

在巴黎期间，霍克尼实际上一直在密切关注早期**现代艺术**的杰出艺术家，尤其是毕加索。但他也留连于雕塑家康斯坦丁・布朗库西(Constantin Brancusi)的工作室，他的工作室后来也在现代艺术博物馆(Museé d' Art Moderne)中复原保存，隔壁是胡利奥・冈萨雷斯(Julio González)的雕塑陈列室。霍克尼一直很欣赏他，在 1972 年搬至巴黎之前，他就已经创作了两幅与其相关的画作。他也开始关注法国艺术家们的笔触——他们画素描和画油画的方式，在纸或画布上所产生的痕迹——包括那些并不被认为是现代艺术翘楚的画家，实际上在法国之外无人知晓，譬如阿尔贝・马尔凯(Albert Marquet)，他是野兽派团

阿尔贝·马尔凯，《费坎普海滩》，1906 年

体中不太出名的一位成员。1977 年，在结束法国第一次旅居后不久，霍克尼告诉批评家彼得·菲莱（Peter Fuller），他 1975 年 11 月冲动地离开巴黎之前，曾在位于杜乐丽花园（Jardin des Tuileries）的橘园美术馆（Musée de l' Orangerie）看过一场关于马尔凯的展览。

> 在那之前，我一直认为他是个相当不起眼的艺术家。但这场展览让我兴奋不已，从中我得到了极大满足。他有一种不可思议的本领，当观察某物时，他能将其几乎简化成一种颜色，并呈现在画面上。画作的真实感是如此强烈，以至于我会觉得它比我看过的任何照片都要真实。

那次偶然的观展，为霍克尼之后几十年的思考和创作埋下

《提瑞西阿斯的乳房》中的舞台研究，1980 年

了种子：如何用一支画笔、硬笔或一根木炭条创作出比任何相机更好、更真实的绘画。他在马尔凯的作品中观察到的，就像他从莫奈的作品中所发现的一样：绚烂的笔痕揭示了世界的美，因此当你看过他们的作品之后，你也会从周围的世界中观察到更多。当然，他自己也是这么做的，他跟菲莱说："这对我来说是一次非常生动的经历。走在路上，从那些最稀松平常的事物中，甚至是阴影中，能够看到一些能给你带来审美刺激的东西，这是不可思议的。这也为生活增添了不少色彩。"

几年后，就在 1979 年，他开始着手为纽约大都会剧院（Metropolitan Opera）即将上演的法国 20 世纪早期作品的"三联剧"（Triple Bill）进行舞美设计。分别是埃里克 · 萨蒂（Erik Satie）的芭蕾舞剧《游行》（*Parade*）以及两部短歌剧：弗朗西斯 · 普朗克（Francis Poulenc）的《提瑞西阿斯的乳房》（*Les Mamelles de Tirésias*），还有莫里斯 · 拉威尔（Maurice Ravel）的《童子与魔法》（*L' Enfant et les sortilèges*）。正如他在 1993 年的回忆录《我的观看之道》(*That' s The Way I See It*) 中阐述的那样，在筹备的过程中，他边听唱片，脑海中边浮现出法国画家的笔触。

> 我想到了一个法国人神乎其技的领域，杰出的法国画家都能画出美丽的笔痕——毕加索想把笔痕画坏都画不坏，杜菲能画漂亮的笔痕，马蒂斯能画漂亮的笔痕。于是我用油画笔画了一批素描，让自己的胳膊灵动起来，发掘能把法国绘画和法国音乐结合起来的方法。

在这里，他谈到了“法式笔痕”(French marks)，这是一种自由灵动而优雅迷人的笔触。就像他欣赏马尔凯一样，他提

拉乌尔·杜菲，《赛船》，1907—1908 年

到的拉乌尔·杜菲（Raoul Dufy）也是很特别的。他们都是所谓的“巴黎画派”中名不见经传的画家。人们普遍认为他们的画过于柔和、细腻，尤其是太偏向装饰性了。诸如此类的批评，甚至连马蒂斯都无法幸免。但霍克尼和包豪斯的创办者瓦尔特·格罗皮乌斯（Walter Gropius）一样，认为愉悦是艺术的必要条件。他谴责艺术界对于乐趣的刻板态度，就像他谴责英国人的专横一样。

霍克尼：有一次在旧金山，一位策展人对我说他**讨厌**雷诺阿（Renoir）。我对此感到很震惊。我说：“那你会用什么词来形容你对**希特勒**的感觉呢？”可怜的老雷诺阿。他并没有做什么糟糕的事，只是画了一些愉悦大众的画。你说因为这件事而讨厌他，真是太糟糕了！

步行十分钟距离的卢浮宫也是霍克尼常去的地方之一。这座巨大的博物馆，需要多次参观才能看遍所有作品，这对他来说是近水楼台的事。有一次，他有了詹姆斯·乔伊斯所谓的“顿悟”，一个突然的启示，正如他在1976年出版的早期回忆录《大卫·霍克尼谈大卫·霍克尼》（*David Hockney by David Hockney*）中描述的：

在“花廊”（Pavillion de Flore）中，展出了来自大都会博物馆的法国绘画，我认为这是一场精美绝伦的展览。我专门去看过好多次。我第一次去看画的时候，看到了这扇拉着百叶窗的窗户和窗外井然有序的花园。我心想，噢，太棒了，真是太棒了！这本身就是一幅画。然后我想，这是一个很棒的主题，而且非常具有法国特色。我

《法式风格的逆光》，1974 年

现在身在巴黎，已经摒弃了一些其他类型的画，为什么不试试这个主题呢？

结果一幅题为《法式风格的逆光》(*Contre-jour in the French Style—Against the Day dans le style françai*)的画就出炉了。霍克尼表示对这个标题很满意，因为它巧妙地融合了两种语言，其中还有这样一种概念，英国人做了一件法国人的事。实际上，他对作品本身也感到相当满意。他有意识地采用一种法式风格——点彩画，所以在某种程度上是对“法式笔痕”的美妙世界的早期探究。他认为，在20世纪70年代，运用这样的技法是一种“另类”的做派，尤其是对于巴黎这个主题，这至少曾经是从爱德华·马奈(Édouard Manet)时代以来伟大画家们表现的一种标志性主题。面临着被这种标准比较的风险，他当时这样写道：

巴黎曾被众多人描绘过，其中不乏才华横溢的艺术家，比我伟大得多。我想要接受挑战，因为这是值得一试的困难，我也愿意让自己的生活走出舒适圈。如果你想画一些有价值的东西，你就不应该惧怕与之俱来的压力。这再适合我不过了，我会留在这里。

霍克尼看到花廊中那扇半掩着的窗户的那一刻，就决定要创作一幅画——实际上不止一幅，还有一个着色版本以及一幅技艺精湛的十色蚀刻画。窗户几乎总是逆光的(尽管偶尔会因为室外的黑暗而变成黑色的镜子)，而这却成了他最喜欢的一个母题，最终成了他作品的主体部分。一扇窗本身就自成一幅画，映射着万事万物的景观，它以短诗的方式压缩了自然主义艺术的各个要素，将近与远、光明与黑暗、影子与反光并置。在布里德灵顿，霍克尼的画作，连同透过他卧室窗户所见到的风景，共同构成了一部完整而美妙的书。这一幕在诺曼底也进行着，当我在写这一章节时，雨天中的这一块旧窗格也让我觉得："噢，真是太美妙了！"

这些年来，霍克尼正沿着一条逐渐偏离他同代人所走的道路踽踽前行。对他们来说，近代以来最有影响力的人是马塞尔·杜尚（Marcel Duchamp）。杜尚终其一生都被人们遗忘，但他逝世之后却成为当代艺术的杰出人物。他的观点——归根结底就是在主张艺术本身就是一种观念，并且艺术家的想法才是最重要的——奠定了 20 世纪 70 年代发生的许多艺术事件的基础：大地艺术（land art）、装置艺术（installation art）、概念艺术（conceptual art）。霍克尼不会反对这样的观点，即画家所做的事情有时是具有智性的，甚至是形而上的。

霍克尼：杜尚玩的游戏很有趣，令人愉快。但杜尚学派就有点不太杜尚了，不是吗？他可能会一笑置之。艺术有各种各样的形式，不仅仅是涂涂画画。优秀的电影也是伟大的艺术作品。我对有些东西并不感冒，但我却沉迷于杜尚的游戏。你所做的艺术可以不包含客体——音乐和诗歌就是这样——并且这也并不新鲜。我认为我们需要各种类型的艺术家，我们确实是有的，所以总的来说我会支持任何艺术家，但我会比其他人更迫切地期望看到更多东西。

作为一名画家，杜尚既不多产，也并非天赋异禀。他鄙视他所谓的"视网膜"（retinal）绘画，这种绘画诉诸感官和视觉体验。霍克尼显然与之背道而驰。他所做的也许是所有具有强烈个性的艺术家都会做的事：选择并投身于一种传统。法国艺术一直是他的背景元素之一。他在皇家艺术学院的早期作品很大程度上要归功于让·杜布菲（Jean Dubuffet）这位艺术家和他的**原生艺术**（*art brut*），这种运用涂鸦的表现形式，现在也被称作"外来者艺术"（outsider art）。这是对20世纪50年代巴黎（还有伦敦）大部分作品的不愠不火的一种解毒剂。

霍克尼：自杜布菲以来，法国绘画就没有什么变化。他是这里最后一位真正优秀的画家。在20世纪50年代的巴黎，他们都画人们口中所说的**美的画**（*belle peinture*），但这意味着一种羞辱。

虽然霍克尼对杜布菲的迷恋已经成为过去式，但毕加索却成为他一生中的艺术挚爱之一。他后悔没有机会见到他的偶像。毕加索的死讯于1973年4月8日公布，当时霍克尼正启程去法国，不久之后他就在那里定居了。尽管如此，这位西班牙人被他当作导师，一位他在艺术学校中未曾真正拥有过的大师级导师。在巴黎，他与版画家阿尔多·克罗默兰克（Aldo Crommelynck）合作，创作了两幅纪念版画，后者也曾与毕加索合作过。其中一幅名为《学生：向毕加索致敬》（*The Student: Homage to Picasso*），画中霍克尼身穿一条时髦的喇叭裤，夹着画夹，站在一尊放置在柱基上的毕加索胸像前。另一幅叫作《艺术家与模特》（*Artist and Model*），描绘了两人在另一扇法国风格的窗户前的桌边假想的会面场景。画中霍克尼半裸着上身，因此可被想当然地推测为模特，当然，他实际上是画线描的画家本人，所以我们还可以从反向角度来看待这个标题。这样，毕加索便成了他的模特。

《学生：向毕加索致敬》，1973 年

霍克尼：在巴黎，我总是去毕加索博物馆，因为那儿藏品非常丰富，而且总会看到一些我以前从未见过的东西。一个优秀的艺术家不会在年老时不断重复自己的作品，他们总是会玩一些新花样儿。晚年的毕加索太棒了！他至今还是对我有着很大影响。

盖福德：我想，一个艺术家或任何一个不断成长的人，就像树木这类有生命力的生物一样。植物吸收水、矿物质、光和二氧化碳，并将它们转化为枝叶和花朵。同样地，不断成长的人也需要不断加工新鲜的思想和经验。

在那个温暖的法国夜晚，我们不停地交谈着。顷刻间，月亮升至那座木屋工作室的上方。为了不扰乱他的工作日程，我在晚上离开前询问了第二天早上我大概什么时候来比较方便，早饭过后 9 点钟怎么样？大卫沉默了一会儿，回答道："呃……要不 9 点半吧。"我以为他醒来后会想工作一会儿，他解释说，那可能太早了。

霍克尼：我从洛杉矶回来才一个多星期，还没完全倒回时差。我大概九十点躺在床上，但我直到两三点才能睡着。如果我在白天觉得有点乏累，就会去睡一会儿。今天早上就是这样，早上 6 点起床、工作，然后 10 点上床睡个回笼觉，直到 12 点才醒。

是时候回我的民宿休息了，四周都是田野、树木，除了偶尔有一头奶牛经过，四周一片寂静。

《第 507 号》，2020 年 9 月 10 日

4
线条与时间

我领会了霍克尼的暗示，第二天晚些才吃早饭，然后从民宿徒步走了过来。那天早上天气不错，半路上还遇到了乔纳森，他正沿着小路开车去添些补给，这让我确信我走的方向是对的。当我到达“大花园”时，已经将近 10 点钟了，那里的一切都非常宁静。环顾四周，我最终发现霍克尼正在屋内的餐桌旁静静地工作。这间昏暗的屋子狭长而低矮，里面摆满了几天前为庆祝他 82 岁生日而送来的花束。他正忙着画他眼前的场景，画在一张折成速写本的纸上，可以像手风琴一样展开。过了一会儿，我见他慢慢加上一些点，代表房子周围的砾石路。

工作对他来说是一种乐趣，也是一种习惯。1962 年，当他搬进博伊斯特瑞斯（Powis Terrace）公寓的时候，最大的一间房既是他的卧室，也是他的工作室。在抽屉柜上，他贴了一张告示，用大写字母写着：“马上起来干活”（由于他后悔浪费了两个小时来画这个告示牌，所以他更加抓紧时间地去工作）。近 60 年后的今天，如果说有什么不同的话，就是他的紧迫感增加了。他告诉《华尔街日报》（*Wall Street Journal*），“大花园”的其中一个魅力就是让他提高了工作效率：“我能在那里做两倍或三倍的工作，我可能剩的时间不多了，正因为如此，我才格外珍惜时间。”晚年，以及如何安享晚年，都是最近在他的脑海中变得明晰起来的问题。

霍克尼：我知道我已经 82 岁了，但当我在工作室开始工作时，我感

《“大花园”的客厅》(局部)，2019 年

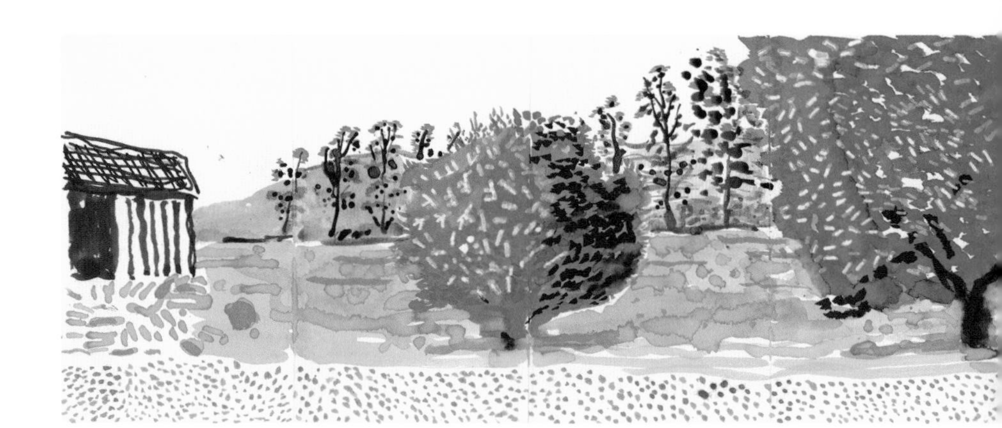

《宅邸周边，春》，2019 年

觉自己仿佛才 30 岁。我站着画画。我大部分时间都站着工作。坐着应该对你不好，但一切据说都是对你不好的，我只是不去理会那些。我母亲活到了 98 岁，你必须非常坚强才能活这么久。我记得在茶几前告诉她，威尔士王妃戴安娜在一场车祸中丧生。她说:“真是太让人难过了!”接着她说道:“你觉得那个茶壶里还能再倒出一杯吗?”命运还未终止，不是么?

过了一会儿，他停下来稍事休息。让我略微出乎意料的是，他将折页全部拉开递给我，让我近距离仔细看看他做的东西。这让我隐隐有些不安，因为我是那种给我一张地图，也总是把它折反的人。所以在欣赏了这件几近完成的作品之后，我小心翼翼地递还给他，让他按照正确的顺序把它折好。

霍克尼：画这些点费了一些时间。我用了一支芦秆笔来画，芦秆笔能画出一种特别的线条。每样东西都能制造出不同的线条，我一直很喜欢画出不同**种类**的线条。我碰巧喜欢素描。我不停地画。德加（Degas）不是说过吗，“我只是一个爱画画的人而已”。这就是我，我只是一个爱画画的人。我觉得有一大把喜欢绘画的人。我经常能遇到一些画得有点粗糙的人，我就会指出，你需要的是一点练习。你需要别人向你指出问题，这样才能以一种更清晰的方式来看待它。你可以教授手艺，但是诗歌，你是教不了的。

霍克尼确实创造了许多不同种类的线条，一位艺术史家可以根据他创作的不同线条的多样性来整理出他画家生涯的年表。例如，在 20 世纪 60 年代末到 70 年代初，他用一种叫

《宅邸周边，春》（创作中），2019 年 7 月

《父亲，巴黎》，1972 年

《母亲，布拉德福德。1979 年 2 月 19 日》，1979 年

“Rapidograph”（德国红环品牌的一款针管笔——译者）的针管笔画出极细的线条，他仅仅用它来画那些用线条造型而没有阴影的素描。相当不同的是，紧接着在 70 年代早期，他在作品中用了色粉和彩铅；从 70 年代末开始，他用粗短的芦秆笔线条来绘制肖像画，比如在他父亲 1979 年 2 月去世之后，令人心酸的那幅描绘母亲的肖像画（并不是画上题的 1978 年这个日期）；这之后，他用毛制画笔作画，包括 2003 年的水彩画作品；以及用木炭笔绘制的那幅精彩的风景画作品《2013 年春至》，等等。他会说，每一种绘画媒介都对艺术家提出了独特的技术考验。使用针管笔需要高度的专注力，因为没有擦除和修正的可能性。

用木炭则更加容易修改，但他指出，你的手不能碰到画面，否则会使其糊成一片。同样，水彩以另一种方式让人伤脑筋：在覆盖了太多层颜料之后，画面会变得暗淡浑浊。反之，每一种方式都赋予画面独特的可能性。那幅《沃德盖特》（见251页）描绘了布满水洼的东约克郡小路以及沿途树木枝繁叶茂的场景，他用炭笔奇迹般地唤起了光、影以及水洼的反射效果，这是针管笔无法企及的。然而，用炭笔或色粉也无法表现出针管笔作品中那种希腊式的优雅感。他可以通过不同的线条来达到想要的效果，他是这方面的行家，有时还会用在意想不到的地方。

霍克尼：在纽约由兰黛（Lauder）创建的博物馆［新美术馆（the Neue Galerie）］中，藏有一幅克里姆特（Klimt）画的绝美人体素描。他在画面中用交织的红、蓝双色线条勾勒人物……让我念念不忘。我觉得真是太棒了，这种表现方式不仅使轮廓显得更柔和细腻，还使人物看起来**闪烁着微光**。我从未在其他作品中见过这样的表现方式，甚至毕加索都没这样画过。从中还能给出很多信息：你可以得知，画中主人公有着柔软的肌肤。

当我看到这幅素描时，最醒目的一点就是非常色情，这一点霍克尼很典型地甚至都没提到过。他对性和性别问题持一种很平淡的态度，这就是个例子，他将其当作很自然的一件事情，不值得特别挑明。必定是克里姆特交织红蓝线条的方式打动了他——如果你是图形媒介的狂热追随者的话，这一点是显而易见的——因为这是这幅画最打动人心的一面。

2019年2月在阿姆斯特丹，霍克尼在凡·高博物馆举办了他的个展“大自然的喜悦”（*The Joy of Nature*），他感觉得到

古斯塔夫·克里姆特,《面朝右侧躺卧的裸体》，1912—1913 年

文森特·凡·高,《收获景象——拉克罗平原》, 1888 年

了双重灵感的加持，因为他密切感受到了众多画家中最伟大的两位前辈大师——伦勃朗·凡·莱因（Rembrandt van Rijn）和文森特·凡·高（Vincent van Gogh）——的气息。他在诺曼底的画作也与这两位大师有着明显的关联。两位荷兰人也用了与他相同的绘画材料——纸和芦秆笔——并且他们画出的线条笔痕也有诸多相似之处。例如，那些点是凡·高最钟爱的绘画图案。但其中也蕴藏着一些新鲜的、有特色的霍克尼元素：他的大部分全景画都是用彩色墨水绘制的。

在凡·高博物馆的这场展览中，霍克尼的作品就挂在

《宅邸周边，冬》(局部)，2019 年

伦勃朗·凡·莱因,《圣杰罗姆在风景中阅读》，约 1652 年

他的前辈大师作品的旁边。与此同时，在荷兰国立博物馆（Rijksmuseum）正举办着一场盛大的伦勃朗作品展，将该博物馆综合馆藏中所有的伦勃朗作品进行展出。

霍克尼：我们看了伦勃朗的展览，里面人并不多。后来，我们又和西莉亚［伯特维尔］一起去看了一次展，那时候人山人海的，我们看得并不过瘾，因为这样你就无法来回**比较着**看展品。

但是在霍克尼的工作室里，有一本大部头的《伦勃朗素描暨蚀刻版画全集》（*Complete Drawings and Etchings*）供他浏览。这意味着他不仅可以比较和对照，而且可以看清放大的局部。在他看来，只有如此，才能增强这些最杰出的视觉作品的效果。

霍克尼：我认为把它们放大是很棒的，这样你就能看见手部的更多细节。许多原作都很小。这是由于 1650 年伦勃朗创作这些作品的时候，纸张价格是很昂贵的，而且无论如何单张纸都不一定会那么大。

言下之意是，如果伦勃朗的工作室有霍克尼那样的设备来放大他的作品，他一定会满心欢喜地使用它们。近年来，霍克尼自己就这么做，无论是自己还是别人的作品，还包括那些老大师的作品。几个世纪前的那些画家同行们的作品一直是他的灵感来源。正如他所说，如果一幅画仍然能让你感到兴奋和有趣，它就仍属于当代。它会对当下的你产生影响。去年 10 月，霍克尼去维也纳旅行，在维也纳艺术史博物馆（Kunsthistorisches

Museum）看了老彼得·勃鲁盖尔（Pieter Bruegel the Elder）的展览。他在那里待了几天，除了看勃鲁盖尔的作品，别的什么也没做。

霍克尼：勃鲁盖尔的画面空间表现得比其他任何画家都要好。比如《保罗的皈依》（*The Conversion of Paul*）这幅画，真是太妙了。你看着它的时候，仿佛置身阿尔卑斯山下，正准备向山顶进发。我也想过尝试类似的事。他一定是在穿越阿尔卑斯山的旅途中画出了所有的山脉。他住在佛兰德斯，那儿连座山都没有。请注意，1550 年他踏上旅程的时候，翻

老彼得·勃鲁盖尔，《保罗的皈依》，1567 年

老彼得·勃鲁盖尔，《儿童游戏》，1560 年

越阿尔卑斯山是一项艰巨的任务，然后你还必须得翻过亚平宁山脉。这需要很长时间，不时地有上上下下的坡路。只有几个古老的山坳通道可以通行，比如圣哥达山口（Saint Gotthard Pass），那边还总是有雪。

霍克尼把勃鲁盖尔的《巴别塔》(*The Tower of Babel*) 放大到四米高，远比原作要大得多。他还把这位佛兰德斯艺术家的《儿童游戏》(*Children' s Games*) 放大到稍小的尺寸，你在“大花园”工作室一幅霍克尼新画的水彩画后面就能瞧见它。

霍克尼：我们把《儿童游戏》只设为三米高，因为我说过，你不用像仰头看巴别塔顶端那样看这幅画，你只需**俯瞰**这个场景。

现在我们把它盖起来了，因为我想看看我画的房子。

他在阿姆斯特丹看到的凡·高和伦勃朗的作品，以及在维也纳看到的勃鲁盖尔的作品，都为他进入诺曼底新工作室时就热切期待的新阶段工作做好了准备。一个朋友曾对他说："勃鲁盖尔、伦勃朗还有凡·高都把风景画得很清晰，'格外清爽干净'。"清晰是霍克尼的一大优点，他喜欢一切都清清楚楚的：无论是演讲、写作、图画还是想法。他也重视对周围一切事物尽可能近距离地观察，包括——正如他向《卫报》(*Guardian*)的乔纳森·琼斯(Jonathan Jones)解释的那样——坏天气(尽管严格来说，他认为根本就没有所谓的坏天气)。

霍克尼：[在给 JJ 的电子邮件中]罗斯金(Ruskin)说在英国没有坏天气这回事。我记得一个冬天的晚上，我在布里德灵顿，电视中正播着天气预报。他们告诉我们不要出门，因为将会有一场可怕的暴风雪。这让我坐了起来，我提议我们出去看看。我们坐上四轮驱动卡车，慢慢驶向沃德盖特，离这儿不远。我们只走了半英里就停了下来。车的前灯非常戏剧性地照亮了雪，我们看着树枝上积雪形成的场景。我心想，这太神奇了，真的很令人难忘。

勃鲁盖尔其中一幅作品吸引了他和我的注意，因为它几乎不可思议地唤起了人们在厚而松软的积雪中行走的感觉。这件作品就是瑞士温特图尔(Winterthur)的奥斯卡·莱因哈特艺术馆(Oskar Reinhart Collection)中的一小幅木板油画：作于 1563 年的《东方三博士雪中朝拜》(*The Adoration of the Kings in the Snow*)。

老彼得·勃鲁盖尔，《东方三博士雪中朝拜》（局部），1563 年

11 世纪贝叶挂毯上的场景：男人们凝视着哈雷彗星（左），
哈罗德国王在威斯敏斯特的宫殿里（右）

盎格鲁-撒克逊贵族踏上了横渡英吉利海峡的旅程

霍克尼：那幅暴风雪的画面就**像**真的一样！在画中昏暗的地方，能看到飘落的雪花，而在光亮的地方，雪花是看不到的。就像在现实生活中一样。勃鲁盖尔对暴风雪的观察是**极尽完美**的。

在“大花园”开始创作时，霍克尼的脑海中还有另一个意想不到的先例，不是一幅画，而是一件中世纪的刺绣品杰作。霍克尼对画面空间的表现欲——呈现出越来越宽阔的视野，上下左右全方位——是永不满足的。这是贝叶挂毯吸引他的一个特质，贝叶挂毯也是促使他在 2018 年回到诺曼底的众多看点之一，并因此触发了他生活和工作的全新阶段。他曾在 1967 年看过这件作品，第二次则是在 42 年之后。这里揭示了一个这样的事实：艺术家生活中最重要的因素是不太会在传统传记中显现出来的，也许在任何人的生活中都是如此。它们可能是景象、声音、印象或感觉：难以捉摸，并且难以用语言表达。在这件事情上，霍克尼对半辈子前看到的一块古老的刺绣布毯的记忆帮助他在一个新的地方开辟了新航线，尽管很难说明他从中到底得到了多大的帮助。而今他在距离贝叶挂毯约 40 分钟车程的“大花园”定居下来。开始在那里工作之前，他若有所思地对《泰晤士报》（*The Times*）的雷切尔·坎贝尔-约翰斯顿（Rachel Campbell-Johnston）谈论了他打算如何描绘诺曼底的春天：“就像贝叶挂毯一样，画一幅很长很长的作品。”他接着又说：“我还不太确定要怎么画。我可能从小画幅开始，但也可能会转向 iPad 绘画或拍摄电影。我还不知道。”

众所周知的是，他喜欢“更大的绘画”，这在一定程度上指的是那些不受严格边界限制的画作。

霍克尼：我讨厌画后面的背景白墙，突兀的边缘太碍眼了。那次我作为皇家艺术学院夏季展览的主办方之一时，我管的第一件事就是："别把墙刷成白色！"在此之前，他们就是那样干的，所以展览看起来总是像一场义卖。然而，你只需通过添加一点颜色来弱化白色调，边缘就会显得柔和很多。

贝叶挂毯对霍克尼的吸引力在于，这件长达 70 多米，高近半米（有 900 多年的历史）的作品，其中缺失的正是他长期渴望摆脱的东西：传统的矩形画框中那些整洁的边缘。他指出，底部是地面，顶部是天空，当你从一端走到另一端时，两年的时间就过去了。在这些方面，它就好似另一种长期令他着迷的艺术形式——中国卷轴画，它也随着空间的变换和时间的推移而展开，从来没有一个固定的灭点。同样，仔细观看，贝叶挂毯以其自身的方式蕴含着丰富的视觉信息（与书面形式的证据一样多）。就像卡罗拉·希克斯（Carola Hicks）在她的书中就这个问题指出的，通过观察这幅挂毯，你可以发现有关 11 世纪生活的那些具体而微的事情：盎格鲁-撒克逊贵族是如何横渡英吉利海峡的；"马是怎样从船上爬出来的"；还有两个仆人，"脱下长筒袜，卷起外衣"，光着脚涉水而行，并带着他们宝贵的狩猎动物——几只猎狗和一只老鹰上船。

贝叶挂毯能够留存下来，这是很令人意外的。最初，在罗马式城堡的墙壁上悬挂着数以百计这样的叙事性编织品（希克斯认为，这一件可能是打算挂在征服者威廉在鲁昂的大厅的墙壁上）。但它现在是唯一保存下来的罗马风格的纺织品，而且在这 400 年里，它只离开过贝叶大教堂（Bayeux Cathedral）一次，被送往巴黎展出，当时拿破仑正计划入侵英国，这似乎是一个鼓舞人心的先例。当然，这是一幅完全用线制成的画——严格来说是一件刺绣，而不是挂毯——这是一种在艺术史上长期被边缘化的媒介。因此，它并不总是与乔托和拉斐尔的作品相提并论。我在当地书店的艺术分类中找不到希克斯的书，只好拜托了一位助手去找，最后他在中世纪史区找到了。

霍克尼会认为，将此作归类为史实记载的报告而不是一件艺术杰作有着更深层的原因。贝叶挂毯以一种自意大利文艺复兴以来在西方艺术传统中被视为“原始”（primitive）或截然“错误”的方式描绘世界。它与空间和时间有着不同的关系。没有固定的一点让单一的线性透视后退，没有冻结的时刻。相反，它通过 1064 年到 1066 年展开的事件，跨越海洋，在英国和诺曼底之间来回游走。霍克尼所画的花园全景折页绘画的地域和时间跨度都比较小，但它们包括了向四面八方延伸的几英亩土地，以及仔细观察所有这些所需的以秒、分钟或小时为单位的时间长度。他在一家纽约画廊的墙上环绕式地展出了这些画作的放大版，它们将多重空间和时间体验凝聚在一幅单一的图像中。同时，挂毯也以一套靠垫这种意想不到的形式象征性地出现在了他的工作室中。

*

访客如期而至，在“大花园”里共进午餐，这是一群霍克尼的老朋友，再加上他们带来的家人。他们自带了一切食物，所以他不需要做任何准备。霍克尼对食物并不反感，就像生活中的所有乐趣一样，他很享受食物，但吃饭占用他在工作室的时间和精力，对此他持保留态度。

霍克尼：20 世纪 60 年代和 70 年代初期，我经常去家住切斯特广场

（Chester Square）的美国人玛格丽特·利特曼（Marguerite Littman）那里吃饭，她经常招待客人。我会开车过去，饭后再开车回博伊斯特瑞斯，实际上有点微醺。但我不再去那儿是因为意识到如果 12 点才开始工作，然后像那样出去吃个饭，我一整天就什么事也没做，所以我就不去了。她问为什么，我解释说："我想工作！"大多数出去吃午饭的人下午都无事可做。或者他们坐在办公桌前无所事事。但我不是那样的人。

那天早上，他尽全力完成了绘画任务，便在沙发上全身伸展开来，拉低帽檐盖住脸，迷迷糊糊地睡去。在他睡午觉时，我出去巡视他的领地，逛过草地一直走到边界，那里有一条小溪蜿蜒流过，两岸生长的树木拱悬其上。我沿着边界绕到大门口，再回到屋中。在接下来的几个月里，我将在数百幅画中看到这一地域的角角落落。我也想象过，过不了多久，当然是明年，我会亲身回到这里，看看这些树和小溪，与大卫、J-P 还有乔纳森畅聊。但事与愿违。

《第 556 号》，2020 年 10 月 19 日

have a
very merry
christmas
and
a happy
New year
love
David H

have a
very merry
christmas
and
a happy
New year
love
David H

have a
very merry
christmas
and
a happy
New year
love
David H
&

&
have a
MERRY CHRISTMAS
and a happy
NEW YEAR
love David H

《圣诞贺卡》，2019 年

5
快乐的圣诞与意想不到的新年

又过了几个月，从“大花园”发来了越来越多的图片。为了感谢霍克尼的盛情，我寄去了一包书，我想这也许能引起他的兴趣。其中一本是美国作家丹尼尔·克莱恩（Daniel Klein）的《和伊壁鸠鲁一起旅行》（*Travels with Epicurus*），作家住在宁静的希腊海德拉岛（Greek island of Hydra），那里禁止使用汽油发动机，他在书中深刻地思考了关于时间和衰老的问题。70 多岁的克莱恩认为，与其试图疯狂地、不可思议地抓住青春不放，我们更应该将晚年视为生命本身的一个重要阶段：在平和中反思的时期。霍克尼对此非常赞同。

霍克尼：《和伊壁鸠鲁一起旅行》这本书真的很不错。他抽烟，还喝很多酒。我知道他们为什么在希腊还不停地抽烟：他们知道，时间是有弹性的，只有当下——完全跟我的态度一样。我把这本书送给我的一个朋友，然后他送给了一位 25 岁的年轻人。但我觉得这本书只适合老年人，25 岁的人对此并不感兴趣。毕竟，对于那个年龄的人来说，一个 75 岁的人比他年长半个世纪，那可真是个老朽了。这是一个很大的时间跨度。

霍克尼用 iPad 绘制的 2019 年圣诞祝福即兴重复了一个最受欢迎的主题：画中画中画，这唤起了人们对圣诞和新年的长远展望，追溯着过去并迈向未来。

当然，尽管时间和历史不断延伸，也不断倒退，但未来充满了意想不到的曲折。2020 年 1 月初，在没有任何预兆的情况下，一天早上，我正要吃早餐时，心脏病发作了。这次发病并不是特别严重，诊断过程几乎比心脏病本身更可怕。但这仍然是一种令人不悦的震动。发现霍克尼早于我也犯过心脏病，我稍感安慰。

亲爱的大卫：

一周前我心脏病发作了。幸运的是，这并不算太严重。他们直接在堵塞的动脉里植入了支架，我只在医院住了几晚。我应该会在 2 月初恢复正常，但现在他们要我好好休息，所以我有了大把时间看闲书。在心脏病房里，我读了奥维德（Ovid）的《变形记》（*Metamorphoses*），这本书除了提供了不计其数的绘画主题之外，还有一个小命题：一切都在不断变化。作者笔下的人物总是变成石头、树木、鸟和各种动物。这对人世间的事物来说是个不错的比喻。现在，我已经变成了一个像《魔山》（*The Magic Mountain*）中一样正在疗养的病人，而我在《旁观者》（*Spectator*）的那位老编辑鲍里斯・约翰逊（Boris Johnson）也从一名幽默的记者转型为首相。让我们拭目以待接下来会发生什么。

爱你的马丁

亲爱的马丁：

我 30 年前犯过一次小小的心脏病。他们说是吸烟引起的，但我不这么认为。我觉得压力才是罪魁祸首。我也植入了支架，我觉得这个东西很好。自从来了洛杉矶之后，我看了六次牙医，做了很多检查。现在状态还不错，这周检查应该就结束了。我们应该会在 2 月 8 号回到诺曼底，及时画下春至之景。休息和阅读是很有益的。这也是我一直在做的，尽管我中途也确实画过莫里斯·佩恩（Maurice Payne）和贝恩·塔森（Benne Taschen）（贝内迪克特的儿子）。但总的来说，我一直在休息，他们说这是我需要的。

爱你的大卫·H

霍克尼并不信奉健康的生活方式，而是信奉美好的生活方式。在他看来，这意味着最充分地享受生活：体验世界上所有的美，还有专注于一项十分有趣的任务。在这方面，他与古希腊哲学家伊壁鸠鲁（公元前 341—公元前 270 年）是一致的，后者相信理想的存在方式就是致力于享受生活的乐趣，但认为最持久的乐趣是简单的。他在雅典城外的一座花园里以谈天、写作和思考度日。他还认为，人生的巅峰在于晚年。和伊壁鸠鲁的现代拥护者克莱恩一样，霍克尼没有太多时间像那些“长生不老者”一样随着年龄的增长而绝望地试图保住年轻的身体。他喜欢引用 W.H. 奥登（W. H. Auden）的喜剧短诗《给我请一个医生》，演讲者希望有一位“肥如填鸭的医生”，他永远不会“提出荒谬的要求”，要求病人放弃恶习，“但他的眼中闪烁着光芒 / 会告诉我，我必死无疑”。

到了 2 月底，我确实感觉多多少少恢复到了正常状态，我在伦敦见过霍克尼几次，他在那儿办了两场展览。一场在国家肖像馆（National Portrait Gallery），另一场在安内利·朱达画廊（Annely Juda Gallery）展出新的肖像画系列。他在市区的时候，和乔纳森·威尔金森邀请朋友和商业伙伴去看了一场非凡的，甚至可以说前所未有的展览。展览场地是在罗瑟希德（Rotherhithe）的一座废弃的印刷厂，这是一座巨大的迷宫式建筑，有着无尽的走廊——有点让人想起阿伦·雷乃（Alain Resnais）的电影《去年在马里安巴》（*Last Year at Marienbad*），但更带有一种后工业的氛围。

后来才知道，这里原来是刊印《标准晚报》（*Evening Standard*）的地方。现在所有的印刷机都不见了，只剩下一间约 10 米高、25 米长的大厅，不规则的墙壁被隔间和门切割得犬牙交错。在旧厂房的旁边放着一排巨大的投影仪。在几个小时的时间里，一长串霍克尼的作品以明亮的色彩和宏大的规模呈现出来。一张 20 世纪 90 年代末描绘大峡谷的作品，接续着那张 1982 年为他当时的恋人格雷戈里·埃文斯（Gregory Evans）在泳池游泳时所作的照片拼贴。这幅亲密的画面转变成了一幅全封闭的壁画，在这幅壁画中——通过一些技术的咒语——水似乎泛起了涟漪。静止的图画已然变成一部电影，或至少是一张动图。接着出现了其中一张全景“大花园”的画，其尺幅与实际的房子差不多大，包裹在这个洞穴状结构的内部。这种效果完全不同于美术馆展墙。用多屏幕放映在东约克郡乡间小路上缓慢行驶的电影场面，让人觉得仿佛从每棵行道树下经过一样。

霍克尼：[兴奋地]你在仰望树枝！这种颜色在墙上完全**显现出来了**。这是画面中的新东西。为什么奇观画消失了？毕竟，人们喜欢奇观！它因为电影而消失了，但电影并不擅长呈现奇观。现在美国仅存的电影院都在购物中心里，那里为青少年放映撞车电影。

最后，技术团队的负责人问霍克尼是否愿意直接在墙上画画。他想了一会儿，决定试一试。他坐在一个大屏幕前，用触屏笔画画。他尝试了一些实验性的涂鸦，然后一笔一笔地在三面墙上画出了一连串的棕榈树。这种体验就像置身于一个剧院，周围的布景是一点点搭建出来的。或者，从另一种角度来看，这是一种将绘画作为现场的表演艺术。但是，尽管我们当时没有意识到，任何形式的表演不久都将终止。

*

按照霍克尼的计划，他于3月初回到法国，开始画他的iPad绘画。然而，新型冠状病毒（Covid-19）也按照它自身的内置程序，在世界大部分地区迅速蔓延。

2020年3月4日

亲爱的马丁：

我想我接下来的一年都会待在诺曼底。我又开始在iPad上画画了，因为乔纳森在利兹（Leeds）找到了一个人制作了“Brushes”这个软件的新版本，我觉得特别好，甚至比现在没法下载的老版本更好。

不久之后再来诺曼底吧。

很爱你的大卫·H

很明显，最后一项提议在很长一段时间内都不可能实现。就在几天之内，随着蔓延开来的病毒的大规模侵袭，先是法国，然后是英国都被封锁了。但在“大花园”的小世界里，这种变化就没那么剧烈了。疫情并没有影响春天到来的进程。

《第 99 号》，2020 年 3 月 10 日

2020 年 3 月 15 日

亲爱的马丁：

你在剑桥过得怎么样？那边的情况尚好吗？反正我们在这儿与世隔绝，我不用走很远就能找到许多有趣的树木。我此刻正在画冬天的树，不过，就像你能看到的那样，其中一些已经发芽了。我尽我所能地去画树。然后当它们发生变化时，我会一次又一次地再去画。别为我们担心，但是大部分的商店、咖啡馆和电影院都关门了。目前我们还是应付得了的。

很爱你的大卫·H

由于不能面对面聊天，所以不久之后，我们养成了用 FaceTime 视频电话交谈的习惯，通常是在法国时间下午 6 点半：鸡尾酒时间。有时候，我们在聊天的时候，在剑桥的我会来一杯葡萄酒，而在诺曼底的他会喝一杯啤酒。

6
困锁天堂

在我们共同撰写的上一本书《图画史》中，霍克尼说道："如今只要愿意，人就可以生活在虚拟世界中，虚拟世界——一个图画的世界——也许是将来大多数人的归宿。"比我预想得更快，这确实就是我们中很多人的归宿——至少，部分如此。在剩下的时间里，我们过着一种旧式的、受步行距离限制的当地生活。就我而言，我的活动范围缩小到了剑桥中心和周边乡村的区域；对霍克尼而言，活动范围则是他的房子、工作室、花园，以及草地和它尽头的小溪。

许多上班族现在转移到了空余的房间、阁楼和花棚中，很快就开始抱怨他们这种新的虚拟工作生活，要没完没了地在 Zoom 或 Teams 上开会。他们声称，不知为何，这些会议比传统的线下会议更让人疲惫，可能是因为比起在现实中，你更难理解其他人的反应，所以必须更加努力地集中注意力。相反，正如霍克尼指出的那样，与那种旧式的、纯语音的电话相比，你可以获得更多信息。

霍克尼：当你和对方交谈时，看到对方的照片会改变你的体验。如果你能看到对方表情的变化，你就可以在谈话中停顿一下；而如果在电话中有停顿，你其实是不知道哪里出了问题的。如果你看到对方的脸，你说话的方式就不一样了，对吧?

对于像霍克尼这样听力不佳的人来说，这无疑是个对他

《第136号》，2020年3月24日

艺术家通过 FaceTime 与作者交谈，2020 年 4 月 10 日

有利的方式。但也并不是说我们的 FaceTime 通话总是很顺利的。问题不在于理解对方在说什么，而在于法国农村时好时坏的网络信号。有些日子或者时段好像会好一些。有时候对话刚开始还好好的，但后来就遇到了技术上的难题。有时他会突然僵住，变成静止的画面。大概我也僵住了，因为他会开始说“喂？喂？喂？”，然后，信号会在一两分钟内再次好转，有时可能不会好转。从艺术史的角度来看，这种效果几乎可以说有风格上的意义。当彩色电视机问世时，霍克尼显然注意到，只要把旋钮调高，画面就能呈现出野兽派（Fauvist）的风格。使用 FaceTime，你可以获得类似博纳尔（Bonnard）晚期的意外效果。

霍克尼：此刻，你的画面只是一团模糊。阳光从你的窗户照进来，把画面变得模糊不清。不过说实话，它看起来相当不错。

盖福德：我也能清楚地看到你的影子。我改天再试试。

霍克尼：我会一直在的。

在别的时候，信号比较好时，谈话也不停地进行着。3月29日晚上，我们像往常一样打着电话。

霍克尼：我同情所有被锁在二十几层的人。在纽约的高楼里，确实是不怎么好受的。但是，你如果来对了地方，被封锁也自有乐趣。这儿简直令人陶醉。我此时此刻正望向窗外，我能看到映在树皮上的光斑，看起来美极了。这是由于阳光落在树干上缓缓下移而形成的。它在逐渐移动着，所以你必须得快速捕捉它。

今年的春天来得很早，也是这儿最美的一个春天。去年的春天就来得稍迟了些。太壮观了，我要把它画下来，我很是兴奋。不过，还未完成。苹果树还没有开花，上面什么都没有，不过马上就要开了。其他的树上，有些花开了，这一切都太神奇了。我刚刚画了一棵大樱桃树上的花，这是我们仅有的一棵花树，但它现在看起来漂亮极了。接下来树叶就会出现了。我会一直画下去，直到你看到夏天的深绿色。这还有一段时间呢。尽管诺曼底的气候和约克郡相似，不过东约克郡的绿意来得更晚一点，因为它更靠北。有一年，约克郡的山楂花比伦敦的晚开一周或更长时间。还有一年，2006年还是2007年，它甚至在6月初还没有盛开。在东约克郡，我们从头到尾仔细观察了七个春天——总是想观察这个季节会开什么花：最早开的是什么花，接

《第 180 号》，2020 年 4 月 11 日

着是什么花。人们有时就是注意不到春天的美。

盖福德：我觉得你现在住在这间农舍的生活体验与 16 或 17 世纪农舍建造时住在里面的人的体验是很相似的：不出远门，见不到很多人，夜晚没有路灯的光污染，即使白天也没有交通噪音。

霍克尼：是的，虽然不完全一样。这间房子真的很像迪士尼电影中七个小矮人住的房子，不是吗？没有直线，即使**拐角**也不是直线，我们自己没有改过它的结构。这里只有两间洗手间，我房间有一个，另一个在楼下。但我们有淋浴间什么的。吉卜林（Kipling）不是有一首叫作《真实之歌》（*A Truthful Song*）的诗吗？这首诗的内容是关于一个古埃及人遇见一个现代建筑工，其中这样写道："你的玻璃是新的，管道也很奇怪，/ 但除此之外我感觉不到任何变化。"确实是这样，不是吗？虽然凡·高和吉卜林是同时代的人，但我不认为他在阿尔的黄房子里会有很多管道。

盖福德：我们的自由都遭到了剥夺。跟自己的朋友见一面都是件很难的事，长途旅行就更不用说了。我觉得正在遭受着"旅行戒断反应"的折磨，开始很渴望去印度、意大利、法国、希腊、墨西哥、日本还有英国的其他地方旅行。但即使是威尔士也不对游客开放。

霍克尼：嗯，过去我深深地被浪漫的观念所吸引，被浪漫的音乐，被**新**事物所吸引。我第一次来伦敦时才 18 岁。我坐的是火车。到了以后的第一件事就是冲出国王十字车站（King's Cross Station），为了看看红色巴士，或者什么其他的都行，因为这看起来和布拉德福德很不同。我还记得我小时候从布拉德福德去曼彻斯特的时候，我们乘坐巴士穿越荒野，抵达曼彻斯特下车的时候，街道看起来并没有什么两样。但我注意到，门把手位于门中间，而不是我经常看到的位于门边的那种。我觉得这很有趣：在曼彻斯特，它们位于中间；在伦敦，它们可能在顶端；而在纽约，可能根本就没有门把手，因为一切都是自动的。我喜欢这些不同之处。部分是视觉上的。无论我去哪里，我都喜欢跑出去看看，那是很浪漫的事。这是一种视觉上的愉悦。

但是**现在**对我来说，这是一个完美的地方。J-P 刚好在巴黎，他说可以再次感受空气的味道，因为那边车少了很多。这里的空气非常清新，也听不到很多噪音，不像洛杉矶总会有轰隆隆的声音。纽约的情况就更糟了，除非有什么事，不然我不想再去那儿了，那地方不适合我这个年纪的人。其实，还有一个我不能在那边工作的原因，就是那边会有源源不断的访客。

*

与此同时，在更广阔的世界里，霍克尼仅仅是通过继续他在自己的花园里所做的事情就产生了惊人的影响。4 月 1 日，他向英国广播公司（BBC）公布了一些自己创作的 iPad 画作。很快，它们出现在包括《泰晤士报》和《卫报》在内的几家报纸的头版上。很难想到另一个这样的例子：画家新创作的风景画和静物画不仅像 BBC 网站标题宣称的那样，是一次“新闻之外的喘息”，而且其自身也是一个重要的故事。这是对图画的力量、它们仍对许多人具有的吸引力以及它们传达思想和感情的能力的一次非凡的展示。霍克尼还在绘画中加入了一些思考：

我打算继续我的创作，我现在认为这很重要。我们

《第132号》，2020年3月21日

失去了与大自然的联系，这是相当愚蠢的，因为我们是它的一部分，而不是置身其外。疫情迟早会结束，然后呢？我们从中学到了什么呢？我已经83岁了，我会离开这个世界的。死亡的原因即新生。生活中唯一真实的东西就是食物和爱，对，就是按照这个顺序，就跟我们的小狗鲁比（Ruby）一样，我真的相信这一点，艺术的源泉是爱。我热爱生活。

这也许是他所有发表的内容中有史以来最接近宣言的一次。他传达的信息虽然是积极的，但却是让人难以接受的："死亡的原因即新生。"但这些画作通过视觉愉悦传达了这一观念，或者用一个老派的术语来说，就是"美"。

霍克尼：我认为艺术中有一个愉悦原则。没有这个，艺术就不会存在了。你可以将它抽干，但它仍然必须在那儿。娱乐是**最低限度**的要求，而没有上限。一切都应该是有趣的。你可能会进入更高的层次，但至少你需要达到这一点。艺术中的愉悦原则是不可否定的，但这并不意味着一切艺术都是简单和愉悦的。人们可以从一幅耶稣受难的画中获得深深的愉悦。在慕尼黑老绘画陈列馆（Alte Pinakothek）中，有两幅由卢卡斯·克拉纳赫（Lucas Cranach）创作的耶稣受难画。其中一幅非常非常厉害。它描绘的是基督被钉在十字架上，痛苦不堪，鲜血顺着他的身体流淌下来。他旁边是一位非常虔诚的教士，穿着一件红袍，你能感觉到他身上的毛皮正在轻轻地贴着他。你会奇怪为什么两个人会处于如此截然不同的状态。一个人是舒适平静的，你可以看得出来；另一个人很痛苦，状态很糟糕。然而，我从这幅

卢卡斯·克拉纳赫，《勃兰登堡红衣主教阿尔布雷希特跪在被钉在十字架上的基督面前》，1520—1525 年

画中得到了极大的愉悦。其他人也会如此，在痛苦中得到欢愉。当我们谈到艺术中的愉悦时，我们谈论的不只是看看画中的花朵这么简单。

另一方面，在个人的痛苦**体验**中得不到任何愉悦（当然，受虐狂除外）；看到或听到别人的痛苦，也会陷入悲痛之中（除了虐待狂）。霍克尼在这里所说的愉悦来自于通过一幅画来观察世界和其中的一切，包括痛苦、战争和死亡。这是一个沉思的过程，不是通过语言，而是通过视觉。它是通过观察来享受世界，理解世界。一幅画是对世界的一种诠释，所以它也是一种交流的手段，直接通过你的眼睛进入到你的头脑中。

霍克尼：我只会说一些很基础的法语，但当有人问我，在法国生活是否因为无法交流而有点困难时，我回答道："你是什么意思？我在这儿举办过三场展览！"

2019 年，也就是疫情爆发的前一年，我出版了一本关于旅行去看艺术作品的书。其中一段旅程往返大约 6000 英里，到德克萨斯的沙漠中去看极简主义（minimalist）雕塑。关键不在于所走的路程，而在于切实站在作品面前的重要性。我认为，看到实物与在书本或屏幕上看有本质的不同。例如，在凡·高的一幅作品前，你站在他曾经站过的画布前相同的位置，感受着他作画时双手的能量。在疫情期间，除非你住的地方距离著名雕塑只有几步之遥，否则就只能在书本或屏幕上欣赏了。当封锁开始时，我的电子邮箱里塞满了消息，世界各地的艺术机构都宣布将闭馆，等待下一步通知。几天后，线上展览的通告又如洪水般涌来。这就衍生出两个问题：真有什么东西可以代替看到真实的东西吗？如果可以的话，有没有办法让虚拟体验变得更好呢？

这样的确省去了很多麻烦。你可以坐在家里的笔记本电脑前，"漫步"在荷兰国立博物馆、卢浮宫或美国国家美术馆的杰作前。当然，它不像现实中那样拥挤。在其他方面，过程几乎是一样的。你可以选择一幅画，然后拉近仔细观察它，阅读附带的信息，然后（虚拟地）退后一步。不过，它仍然只是一张照片——总比什么都没有好，但它更能提醒人们这是一件真迹，而不是替代品。这是网络世界的特点，它同时扩展和收缩经验。

只要点击鼠标，你就可以去往任何地方，看到任何东西，但它们都只能在电脑屏幕上转换成发光的像素。

霍克尼：然而我的 iPad 画就是在我们正在谈论的这个东西上创作的，所以这些画更真实，不是吗？我把我刚刚画好的发给你，你马上就能看到了。艺术家的虚荣心在于希望自己的作品被大家看到。我承认，我有这种虚荣心。最重要的是，这就是你想要的。读一读关于 18 世纪和 19 世纪的艺术家们如何在皇家艺术学院吸引观众注意力的那些故事还挺有趣的，比如透纳如何试图抢康斯太布尔的风头。

这两位艺术家产生摩擦的原因，往往是关于谁的画在一年一度的皇家美术学院展览中被摆放在最有利的位置。透纳曾经觉得，当年负责挂画的康斯太布尔是故意把自己的一幅画挂在靠边位置的罪魁祸首。一名目击者称，他因为这个罪行“像雪貂一样”攻击他的对手。有一年，在“上油日”(Varnishing Day)，画家们在画展向公众开放前，为自己的作品做最后润色。那次，康斯太布尔的一幅雄心勃勃的巨幅画就摆在透纳一幅灰色的小海景画旁边。趁康斯太布尔走开的时候，透纳在自己的画上加了一个红色的圆盘形浮标，这样就把别人的视线从对方的画布上转移开了。回来后，康斯太布尔挖苦地说：“透纳开了一枪。”

盖福德：当你看到另一位艺术家创作了一件很棒的作品时，你是怎么想的？

霍克尼：呃，你会想：“嗯，不错！”钦佩的同时，也可能会有点嫉妒。我觉得，甚至是你身后的那幅蚀刻版画——莱昂·科索

作者在家里，身后的墙上挂着莱昂·科索夫 1996 年的蚀刻版画《菲德玛像》

夫（Leon Kossoff）的，是吧？非常非常好。看起来画得很结实。我觉得他一直都画得很好，我很喜欢他。

盖福德：即使博物馆和美术馆最终重新开放，我估计游客们也得戴上口罩，和别人保持几米的距离看展。

霍克尼：嗯，其实还好。实际上，这样更可取。现在看不到那种绝对爆满的展了，但是我曾经很讨厌去人挤人的这种展。1960 年我在泰特美术馆（Tate Gallery）看毕加索画展的时候，不得不在外面排队。但是我会早点去，这样我就能第一批进去。然后我会径直走到展览的尾部，然后往回走，因为这样你就可以独享整个画展了。2002 年，我与同行的卢西安·弗洛伊德和弗兰克·奥尔巴赫两人一起在泰特现代美术馆（Tate Modern）看了马蒂斯和毕加索的展。你可以比较着来看那些画作，去对面的展厅看看，再回来看看。

> 同时，泰特现代美术馆还举办了安迪·沃霍尔的展览。我记得我曾想过，你可以派个人去看沃霍尔的展览，并让他转告展览情况，但是毕加索的作品必须亲自去看。

现在，除非你碰巧藏有一幅毕加索的原作，否则这个体验将不得不无限推迟到未来。如今的旅行必须在微观尺度上进行，越来越近地探索触手可及的小区域。而且，事实证明，一切都在那里。威廉·布莱克（William Blake）的《天真的预言》（*Auguries of Innocence*）这首诗的开头一句这样写道："从一粒沙中窥探世界。"这并不是在要求读者去做任何异想天开的事情。相反，虽然诗人可能也没有完全意识到这一点，但从科学的角度来讲，这是再朴素不过的真理了。同样，华特·席格（Walter Sickert）曾说过："艺术家就是能从一块燧石中拧出几滴玫瑰花精油的人。"换句话说，即使是一块最不起眼的石头，画家也能从中找到乐趣和诗意。

这是真的。所有最深刻的艺术主题都能在一块小石头或花坛中发现。最近，我一直在读简·扎拉斯维奇（Jan Zalasiewicz）写的《卵石中的星球》（*The Planet in a Pebble*），此书讨论的出发点是一块圆形的威尔士板岩。接着，作者从岩石的成分中发现了地球数十亿年的整个地质发展过程，以及在此之前太阳系的起源，从而一直追溯到宇宙大爆炸。

这样的来历使得"普通"一词不再适用于威尔士的卵石。但我们所能看到的一切同样都非同寻常。因此，布莱克在第二句就说，我们可以看到"一朵野花中的天堂"，一点也不古怪。这正是霍克尼将诺曼底或东约克郡的风景称为"天堂"时所暗示的。但是，他补充说：当然，即便路过了伊甸园，大多数人也不会注意到它。他们会花时间扫视地面以确保不会被树根绊倒。

这个世界非常美丽，但你必须仔细观察才能发现它的美。

这是艺术和艺术家的专长。艺术往往是那些通常被认为是微不足道的、普遍的物象，如树木、花、石头、水池、云、陶器、家具还有玻璃制品。当然，这些都是风景画和静物画的主题，包括许多世界上的名画都是如此。艺术家对几乎所有人都会忽视的那些日常细节感兴趣。

霍克尼：每次我画静物画的时候，我都很兴奋，并且意识到我可以从中看出上千种东西！我该选哪一个呢？我看得越多，就想得越多。这些简单的小东西丰富得令人难以置信。很多人都忘了这一点，但你可以提醒他们。

《第 717 号》，2011 年 3 月 13 日

《第 316 号》，2020 年 4 月 30 日

7
艺术家的房子与画家的花园

霍克尼：在《圣经》和其他古代文献中，但凡重要的场所都是花园。你更愿意住在哪里？你想去哪里？即使在洛杉矶，我也总是在画我的花园。实际上，洛杉矶是个绿色城市。人们以为这里到处都是高速公路和混凝土，但并不完全是那样的。我在穆赫兰道（Mulholland Drive）附近的房子周围是野生动物们的栖息地，但没有想象的那么危险。这里的空气也很新鲜。人们现在不怎么谈论空气了，以前倒是经常谈这个。约克郡的伊尔克利（Ilkley）因其清新的空气而被广泛宣传。布拉德福德可不是这样，到处烟雾弥漫。战争期间，人们会去往北仅 14 英里的伊尔克利度假。虽然我已经习惯了烟味，但在肯辛顿大街上，我还是能闻到刺鼻的气味。而纽约又很令人讨厌，但我能**感觉**到这里的空气还不错。无论夏天还是冬天，我总是开着窗睡觉，因为我在卧室抽烟，会让室内变得烟雾缭绕的。从房子的每扇窗户望出去，都是满眼的绿色树木。我们被青枝绿叶包裹着。对我来说，这感觉太棒了。

我们已在计划 2021 年春天种更多的树，把原有的树移栽到远处，这样你就能看到远处的景色，以及近处不同的风景。J-P 说他正在让花园变得与众不同，因为他知道他所做的一切都是关于**绘画**。

J-P 肯定是听到了最后一句话，因为此时他的脸出现在了屏幕上，并且解释了他正在做的事情。

J–P：乡下人都不太感性，他们什么东西都想砍掉。我们有一片小树林，虽然不是特别大，但足以给人树林的那种**感觉**。我们开始改造工作室的时候，他们说的第一件事就是："我们可以把树都砍掉，把挖出来的土回填好。"这是因为他们对**欣赏**树木这件事情丝毫不感兴趣。园艺家会说："这棵应该去掉，那棵也是，它们没有任何价值。"他们想用更好、更名贵的树来取代这些。但我知道，对于大卫来说，视觉上最重要的是形状和形式。他可以用生长在沙砾上的杂草来制造一些有趣的东西。他们是不明白这一点的。

霍克尼：J-P 已经在花园里干了一段时间了，他不时地问我下一步该做什么。有个给我们送牛奶和鸡蛋的叫文森特的小伙子，他每周都会来花园工作两个下午，负责修剪草坪。他是个不错的小伙子，但他总是抱怨说，看起来好像没人愿意打理这个花园。但花园有人打理。我不介意花园长成这样，因为我连杂草也**画**。

盖福德：如果你为一位艺术家设计一座花园，这是不同的，就像为一幅静物画摆放水果和蔬菜与烹饪是不同的一样。

霍克尼：某些园林设计专家甚至说，莫奈的花园并没有那么特别！但对莫奈来说是的。他将花的颜色排列起来。他是园艺方面的权威，他家里还有关于这方面的书。他是用颜色来组织整幅画的。J-P 说他的花园就像一块调色板。你去吉维尼（Giverny）的时候，脑子里想起的一定是这些画，而不是照片。这些花园的照片当然也不错，但画花园的那些画作看起来更棒，尤其是莫奈的！

克劳德·莫奈，《画家在吉维尼的花园》，1900 年

正如相机拍摄的空间或日落不同于人眼和大脑感知到的一样，相机也无法以我们体验的方式记录花朵的颜色。这就是为什么拍摄春天的草地是一件令人沮丧的事情。当你看到一大簇野花——红的、黄的、蓝的、白的——照相机的镜头尽量减少了这些色彩，记录的主要是草和树叶。莫奈的画家调色板式花坛可能不会吸引一位真正的植物爱好者。不过，画家觉得有趣的东西并不会入所有人的眼（康斯太布尔最喜欢的东西包括“柳树、腐烂的旧木板、长满苔藓的柱子和砖墙”）。因此，为艺术家安排一座用来画画的花园与为园艺师、植物爱好者造一座花园是不同的。相反，一幅好的绘画作品并不一定是能取悦景观设计师或植物学家的那种理想样本。

霍克尼：三棵大梨树的树梢都枯死了，因此上面没有叶片。但我想把它们原封不动地呈现出来，因为它们看起来像在拍手之类的。这和那些有槲寄生的树一样，最终会杀死它们。但我觉得它们很值得入画，因为它们撑起了一个**平面**。即使在冬天它们也可以达到这样的效果。在靠近车道的尽头，有一棵小圣诞树的地方，围绕着它有五棵被砍掉的树。但仅仅一个月，这些树干上就长出了一丛灌木，已经有 1 米或 1.5 米高，因此你再也看不到圣诞树了。

在“大花园”的花园中，垂死的梨树和被槲寄生侵扰的树枝获得了缓刑，但风景中的其他元素被剔除了——你也可以说是被编辑掉了——因为它们挡住了艺术家的视线。画家的花园旨在创作有趣的画，而不是用来培育珍贵的大丽花或名贵树木的。

霍克尼：我们刚把另一棵灌木砍下来，因为它破坏了景致，我们正

《第318号》，2020年5月10日

在考虑砍掉那丛方形灌木，因为它阻止你看到后面的树。但是当我画这个场景的时候，我没有把挡住我视线的那丛灌木画进去。这并不是在搞景观**测绘**。你无法衡量快乐，对吧?

一位艺术家的房子和他的作品之间有时是共生的关系：环境暗示着绘画，但反过来也可以调整那些周围的事物，使它们更适合入画。实际上，这是一个正反馈循环。在吉维尼，花坛里的花都是按照莫奈的品位来安排和挑选的：颜色较浅，组织紧密，尽可能连续地展示色彩。当莫奈在餐厅吃饭时，他面向窗户而坐，直视花园主轴线，这样他就可以思考光线在花朵和叶子上时刻变化的效果。家庭的日常作息和到访客人都与艺术家的日程相适应，而这反过来又取决于太阳的光线。和霍克尼一样，莫奈也密切关注着春天的第一簇嫩芽。

霍克尼：莫奈是一位**伟大的**画家，我认为他的生活对一位艺术家来说是完美的。这并不是说他的房子有多么豪华。在那个年代，人人都建那种山寨版的城堡——现在仍然有很多。但他只是买了一间带花园的农宅，这也刚好如他所愿：一座有围墙的花园——一座大花园。他接纳了这幢建筑原有的模样，尽管他也将它改造得很舒适。厨房很不错。他一般早餐都吃培根和鸡蛋，因为他曾经在伦敦的萨伏伊酒店（Savoy Hotel）吃过一次，很是喜欢。他自己有一个厨师，可以做给他吃。

莫奈**在家中**款待客人的方式想必很简单。与他们共进午餐，然后在花园里散步，参观工作室；享用下午茶，跟艺术家聊聊绘画，欣赏他的主题，然后再看看画。这是一成不变的行程。

霍克尼：有人来拜访时，莫奈只和他们共进午餐。他们会在上午 11 点半开始吃午饭，因为在夏季，他每天 6 点起来画画，就像我在东约克郡的时候一样。到访客人会坐火车来，他会派一辆汽车——他买了一辆，还配有司机——到维农车站（Vernon station）接他们。但如果他们在上午 11 点半前还没到，他无论如何都会开始吃午饭，然后继续画画。他从不请客人们吃晚餐，因为他 9 点钟就要上床睡觉，这样他就可以在早上 5 点甚至 4 点起床。

艺术家的房子常常和他的作品融为一体。这种情况不仅发生在莫奈身上，而且——举几个其他的例子——发生在马蒂斯、博纳尔、凡·高身上，维米尔很有可能也是如此。不难理解其中的原因。这些都是眼前最直接可见的环境：始终可见并永远可用的主题。此外，在某种程度上，这些空间像工作室一样可控，并可以对其进行布置。事实上，房子往往也是工作室，反之亦然。

霍克尼位于好莱坞山蒙特卡姆大道的房子和工作室曾是多幅画作的主题，其中包括一系列带有浓重的霍克尼蓝色的客厅和木制露台。从移居诺曼底开始，整套房子——室内、室外、工作室、庭院——就一直是他主要的，几乎可以说是唯一的主题。但二者有一个区别。洛杉矶的房子经过了大刀阔斧的改造，以至于几乎可以被称为一件艺术品：霍克尼建筑和室内设计的一个独特样本。其中一部分确实融入了画面——或者更准确地来说，融入了舞台布景。泳池周围的砖块也是真实可循的，只不过被涂成了更深的一种红色，周围的灰泥墙也表现得更加清晰。大面积的起居及用餐区域上方的穹顶以一种类似立体主义的方式建造，就像在毕加索或胡安·格里斯（Juan Gris）的作品中可能出现的一盏屋顶灯一样，但却是三维的。这座房子建成后，霍克尼以其内部空间演绎了一幅探索空间的新立体主义绘画。

20 世纪 80 年代末的一段时间里，霍克尼几乎一直住在马里布（Malibu）海边的一间小房子兼工作室里。这是他第一次进入在宗教语境中被称为“静修”（retreat）的艺术版本。他在那里的生活预示着他如今在诺曼底的生活，但他那时不是被内陆乡村温和的青山绿水所环绕，而是面对着强大威严的太平洋。霍克尼这样描述自己那段经历：

《大型室内场景，洛杉矶，1988 年》，1988 年

我在马里布的小房子，一边是太平洋海岸公路（Pacific Coast Highway），另一边是海滩。踏出厨房的门，就是大海。因而当我在工作室画画的时候，我明确地意识到了大自然的无限，感受到了大海的不尽流动……我将这幢小房子的里里外外都画了下来，还有大海，以及后面的景致，也就是整片风景。所有这些画都是在 1988 年末到 1990 年间创作的。

在这段时期大部分的油画和版画作品中——当时霍克尼最喜欢用来制作版画的媒介就是传真机，是当时最前沿的科技——太平洋都是占主导地位的表现主题。即使是在温暖舒适的室内，也有太平洋侵入的身影，通过落地窗可以看到一片蓝色延伸到地平线。在这些画中，室内的安全舒适与大海的波涛汹涌形成了鲜明的对比。因此，你会看到，在布拉德福德或布莱德灵顿的餐桌上一套优雅的茶具与汹涌澎湃的大海并列的景象。

想象海岸上那座小房子具有一种遥远的东方面貌是不足为奇的。霍克尼似乎把它当作一个观察海洋和天空的观测站，就像日本人建造专门的观景台来观看月亮一样。在某种程度上，本着与日本的赏月雅集相同的精神，他和客人们分享了他关于光和空间的令人兴奋的体验——慷慨，但也是强制性的。

霍克尼： 在马里布，从 12 月到差不多次年 2 月，我可以从客厅里看到日出和日落。因为马里布朝南，太阳从圣莫妮卡（Santa Monica）升起，在海的另一边落下，你可以看一整天。有一次我在楼上有小阳台的那个卧室里，看到白云布满了天

《马里布的早餐，星期天，1989 年》，1989 年

> 空，太阳从中升起的景象真是太棒了！所以我叫醒了当时和我住在一起的亨利·盖尔扎勒（Henry Geldzahler）。他嘟囔着抱怨道："你可真会欺负人！"然而，他一出来的时候，就立马沉默了。他意识到了这是多么让人叹为观止的景色，你只需起身就能看到。大多数时候，人们都因为睡觉而错过了看日出！

*

艺术家的房子不必精致豪华，通常来说，不住豪宅对艺术家来说也更好。但鲁本斯就是一个例外，他住在一座大豪宅中——实际上是两座，一座在安特卫普，另一座在乡下——虽则如此，他也有一个实际的理由：他在运作着一个巨大的作坊，几乎可以算得上一个小型的绘画工厂了，这需要大量的空间。他的房子以及周围的环境与他宏伟的画很相配，也常常可以在画中寻觅到它们的踪影。他那幅赫赫有名的《斯滕城堡清晨的风景》（*A View of Het Steen in the Early Morning*）画的就是日出后他的乡间住宅以及周围的乡村景色。

斯滕城堡周围壮美的风景对鲁本斯来说是适合的，而阿尔的"黄房子"在各个方面都很适合凡·高，不仅符合他的预算，也与他的艺术相配。正如给弟弟写的信里说的那样，他喜欢简单而粗犷的东西。"巴黎人对天然未加工的东西没有鉴赏力，这是多么大的错误啊！"你可以在他的画作中看到这样的东西：一只平淡无奇的"普通的陶制"花瓶，他在花瓶中插了向日葵，这幅画后来成为全世界最负盛名的一幅花卉画；一把草垫椅子，和附近餐馆中的一样。

凡·高的挚友，二等中尉保罗-欧仁·米列（Paul-Eugène

彼得·保罗·鲁本斯,《斯滕城堡清晨的风景》(局部),推测作于 1636 年

Milliet),无法理解为什么会有人热衷于画“一间普通的食品杂货店,还有毫无魅力、呆板的方形小屋”。“黄房子”的确不是一个常见的主题,但它对凡·高来说却是完美的。他的全部生活都与它息息相关,正如他在给弟弟提奥(Theo)的一封信中写道:“左边的那间房子是粉色的,有绿色的百叶窗;树荫下的那个,就是我每天去吃晚饭的餐馆。我的邮递员朋友就住在左边那条街的尽头,在两座铁路桥之间的地方。”这是个画起来很有挑战性的场景,“硫黄色的太阳,钴蓝色天空下的房子及其周围的场景”,但他因此而更想征服它。“因为这太精彩了,这些阳光下的黄房子,还有那无与伦比的清新的蓝色。”

就像在吉维尼的莫奈(还有在“大花园”的霍克尼)一样,凡·高意识到这间黄房子对他来说是完美的居住和工作场所——也许仅仅是对他自己来说——凡·高在阿尔的头几个月里,在去田野作画的路上,每天都经过这栋小楼。1888 年 5 月,他

文森特·凡·高,《黄房子(街道)》, 1888 年

租下这间房子后，并没有做太多的改动，只是将外墙漆成好似“新鲜黄油”一样的乳黄色，木建部分则是绿色，并在工作室里安装了煤气，这样就可以在天黑后工作了。他在巴黎的一家报纸《费加罗报》（*Le Figaro*）上看到一幢据称是印象派风格的现代主义住宅，这引起了他的兴趣。凡·高写道，它的构造“就像瓶子的底部，用圆形的紫色玻璃砖制成。阳光从其上掠过时，它闪烁着黄色的光芒”。

霍克尼：［大笑］紫色玻璃！

凡·高自身的想法更像是真正的现代主义，简单而质朴，而且成本也更低廉。1888 年 9 月，他搬进“黄房子”不久，就萌生了一个想法：他可以用自己的作品来填充这个地方，让它成为自己的地盘。他告诉提奥：“无论现在还是以后，在不改变房子里任何布置的情况下，我还是想通过装饰把它变成一间艺术家之屋。”几周后，他列出了“装饰品”清单上的 15 幅画。其中包括描绘黄房子本身和一系列描绘前门对面的市政花园的画作。“黄房子”没有花园，但他认为家门口的公共花园实际上是他住宅的一部分。凡·高喜欢将很多大尺幅的画塞进一个小空间所产生的集中效果（为他的朋友保罗·高更设计的狭窄的楔形客房最宽处只有三米）。做这些设计的时候，他脑海中想象的是将室内装饰成他欣赏的远东风格。他搬进来不久后，就给他的妹妹威利曼（Willemien）写了一封信：“你可知道，日本人总是本能地在寻找反差，他们吃甜辣椒、咸糖果、油炸冰淇淋和冷冻油炸食品。所以，以此类推，你可能应该只在一个偌大的房间里放一幅小画，而在一个小房间里，放上好几幅大画。”遵循这个原则，他想“在这个小房间里至少要塞进六幅大尺寸的油画”。因此，客房里有两幅向日葵画——其中一幅现藏于伦敦国家美术馆，另一幅藏于慕尼黑的新绘画陈列馆（Neue Pinakothek）——再加上画公园的那四幅。因此，“清晨打开窗户，映入眼帘的就是花园中的绿色植物、初升的太阳以及小镇的入口”；环顾四壁，你则会看到凡·高画的相同主题的作品。

凡·高觉得，“要找到这里事物的真正特征，你必须花很长时间观察它们，然后再画出来”。这是长久地待在同一个的地方的好处，“我将看到同一主题的四季更迭”。跟霍克尼一样，他也是这一脉画家中的一员，包括鲁本斯和康斯太布尔，他们将自己熟悉的那一小块区域的风景作为描绘主题。

霍克尼： 显然，对于吉维尼的莫奈来讲，这是个多么大的优势啊！在阿尔，最了解什么时间应该在什么地方画画的莫过于凡·高了。你必须非常熟悉一个地方才能做到这一点。摄影师安塞尔·亚当斯（Ansel Adams）也是如此。他住在约塞米蒂（Yosemite）附近，所以他也确切地知道什么时候到某个地方光线和阴影才最完美。

正如霍克尼像对待老朋友那样逐渐了解并喜欢上那些树——梨树、樱桃树以及树枝上有槲寄生的树——凡·高也对某种令他着迷的灌木怀有莫大的兴趣，“那是一种圆形的雪松或丝柏丛，种在草地上，没什么特别的”。他曾为此画过一幅油画，但已不存，只留下几张可以暗示它是什么样子的素描。他在给提奥的一封信中附上了这样一幅精美的小素描，线条酣畅淋漓，充满活力。这是一张 19 世纪晚期的明信片，相当于霍克尼发的那些电子邮件，是关于他正在进行的工作的视觉简报，霍克尼有时甚至一天会发送好几封。

文森特·凡·高，《阿尔的公园》，1888 年

霍克尼：尽管在阿尔没人喜欢凡·高，但他在那儿一定过得很愉快，因为他每天都出去画画，这会让他开心不已。然后他回到家，吃着炉子里煮剩的豆子，给弟弟写信。写这些信就像和提奥聊天一样。如果是在现代，他会改为打电话给弟弟，就不会有这批信件流传给后世了。

盖福德：我相信他也跟高更说过同样的话。他写给提奥的一两句话后来几乎一字不差地被高更重复。

霍克尼：有时如果我给三个不同的人写三封邮件，我意识到我给每个人写的都是同一句话。

毫无疑问，凡·高布置高更的卧室是想表达友好的姿态："保罗，欢迎来到我的地盘！"那效果一定很惊人，一个只为一位观众策划的展览，并且让他完全沉浸在作品中。高更比凡·高更年长，知名度也更高，认为自己才是头儿。然而，高更第一次迈进房间时，感到非常震惊。

霍克尼："黄房子"一定美极了，到处挂着凡·高的画，高更的卧室里还有两幅《向日葵》！他一定在想："这作品画得比我好！非常非常棒！"

盖福德：从那些照片中，能看到你在家里挂满了描绘房子的那些画，这让我想起凡·高用"黄房子"油画装饰房子的计划。

霍克尼：是的，这刚好就是我正在干的事。我画了炉火、壁炉、窗户、花盆，我什么都画。有关我们所在的这个房间，一共有五幅大画。等等，我给你看。

“大花园”宅邸内部，2020 年 7 月

《第 227 号》，2020 年 4 月 22 日

8

天空，天空！

霍克尼：上周四我们看了一场美丽的日落。我能知道这场日落会很棒，是因为那天云层很高，天空也格外的辽阔。夕阳开始照亮它们。所以，我和乔纳森以及他的同伴西蒙内（Simone）三个人在那儿坐了一个小时，J-P 当时不在。然后，当太阳落山，刚好看到逆光的黑色梨树时，我们起身回家。接下来的黄昏持续了大约 50 分钟。在洛杉矶，黄昏大概三到四分钟就结束了。我跟他们说，暮色中的绿色是多么丰富啊，如果你仔细看的话，树木是**紫色**的。我注意到了这一点，并在画面中展现了出来。

我们坐在那里度过了一个美妙的夜晚。变幻的天空简直太美了！这真的是最精彩、最奢华的灯光秀。从深灰色到白色，再到橙色和红色，不同色调的灰一直在变换。真是太壮观了，没有什么比这更壮观的了。我说我们能看到这般景色，生活过得可真奢侈。估计没有多少人真的**看过**——我不知道。那些拍日落的照片总是显得千篇一律，那是因为它们只展示了一个瞬间。它们没有动态效果，所以没有空间的感觉。但画就能够显示出那种效果。你想想看，太阳是我们能看到最显眼的物象：它距离我们有几百万英里远。我们用眼睛感受到了这些距离。照片是无法捕捉这种感觉的。

这就是霍克尼特有的想法，看似简单直接，但其他人不太会这样想。只有当太阳升起或落下的时候，你才能舒适而安全地看着它，也许它被云雾笼罩着，就像一盏红色的中国灯笼低挂在地平线上。当你这样做的时候，你实际上是在凝视一个大约 9000 万英里外的物体。因此，黎明或日落是宇宙的舞台布景，在其中，你观看着一幅从极近向极远延展的景观。在对面的那幅画中，树木可能距离我们只有几米远；那低矮的小山丘有几百米远；根据云层的高度，云层距离我们至多 20 英里；而大咖表演者，太阳，比任何人类旅行过的地方都要远。我发现以这种方式考虑，改变了我对空间的体验。

霍克尼：每天早上我都会仰望天空，因为每天都有所不同。如果晴朗的天空中有一些云，黎明会很**壮观**，因为它会在出现之前先映射在云上。美丽的日出需要云彩，不是吗？我是在布里德灵顿看到的这一景象，在那儿我差不多在 4 到 8 月间能看到太阳在弗兰伯勒角（Flamborough Head）升起，然后向南移动。现在是夏天，我从我们家厨房的位置画日出，望向窗外的时候太阳就在正前方。但到了 12 月它就又向南移了。昨天，有一刻阳光散布在天空。日出一般不会持续太久。我每天早上都起来看，但今天早上只有一层薄雾。我心想，这是布拉德福德的日出吧，因为你根本什么都看不见。

布里德灵顿 6 月的日出对大多数人来说太早了，日出时间大约在 5 点一刻。我记得我会带大家出去看，然后再回去睡回笼觉。有一次，太阳刚升起，我就带马尔科·利文斯通（Marco Livingstone）和西莉亚出去了。因为没有山之类的遮挡，你往西走的时候，所有的影子都很低。它看起来棒极了！这些低矮的阴影，还有树上的阴影，以及洒在外

《第 229 号》，2020 年 4 月 23 日

层叶子上的阳光。日出让一切都变得一目了然。太迷人了。但前提是你必须在5点起床才能看到这些景象。我得把他们弄醒。西莉亚当时抱怨着说道："我去不了了！"我说："穿上你的拖鞋上车吧。"她照做了，后来她感谢了我。

*

霍克尼最近把他的画做成了动画版本，比如在不断变化的条件下观察到的树木，还包括日出、日落、倾盆大雨或季节变换等主题。这让我想起了安迪·沃霍尔1964年拍的那部著名的电影《帝国》(*Empire*)，整部电影是由时长为8小时5分钟的帝国大厦(Empire State Building)夜间镜头组成。影片始于落日的白幕，这是为夜间拍摄而设置的曝光效果。然后，这座赫赫有名的建筑慢慢出现了。镜头拍的一直都是这个场景，并没有什么变化，只有大楼里的灯忽明忽暗，偶尔沃霍尔和工作人员的面孔会反射在镜头拍摄的窗户上。但从本质上来说，这是一个不作为的研究。也许这并不是偶然的，它持续了同样的时间——8小时——这是传统上认为的一个质量不错的睡眠时间。《帝国》是一部充满诗意的**荒诞之作**：这是一篇关于电影和我们对其不断变化的期待的评论，既诙谐又深刻。它揭示了生活中有许多事物是根本没有变化的，至少在电影发挥作用的速度上是如此。但霍克尼的动画风景表达的是恰恰相反的东西：它们强调了许多我们通常认为是静态的景象——黎明、雨水、树木、夕阳——实际上一直变动不居。我们的错误是将它们视为静止的，我们这样做也许是因为我们把它们当成风景图片去记忆。但在现实中，很少有风景是静止不动的，即使是在我们看向它们的这一短暂时间内。树对于电影来说是个不寻常的主题，但如果

安迪·沃霍尔,《帝国》剧照，1964 年

你仔细想想，它们显然一直在动。在输入这句话和前一句话的间隙，我向窗外瞥了一眼，看到窗外的树木在微风中摇曳，树叶沙沙作响，树枝晃动。在过去的几天、几周、几个月、几年里，它们发生了无数变化——生长、衰败、萌发和凋零——所有这些随着时间的推移历历在目。

霍克尼：这就是你为什么画它们的原因。我会发给你一段山顶老橡树的动画。这是前段时间，初春的时候我在家里画的，我觉得画得有点薄，所以没发出去。然后我把淡绿色的树叶画了出来，还是没有发出去。接下来我画了深色的叶子，最后，我又画上了云朵。我们没发出去，而是把它做成了动画。我和乔纳森正在做一些这样的动画绘图（animated drawings）。第一件作品是画云飘过的动画，然后我们做下雨场景，更觉有趣。后来，我觉得我们可以做一个日出的动画，现在我已经有了灵感。我们昨天和今天早上一直都在做这个。

他做的关于黎明的短片本身就很壮观。一开始是一片昏暗的景色，从他厨房的窗户可以看到一座小山丘、花园的一片平地，还有几棵光秃秃的树。天空已经亮了很多，半透明，整个场景开始若隐若现，但有一层层的云，分别染着粉红色、橙色和紫色。然后，地平线上出现了一片灿烂的金色：冉冉升起的太阳。很快，尖锐的线条像花瓣一样，从白色的圆盘中心向外放射出来。当绿色和朦胧的蓝色地面从黑暗中显现出来时，云朵的底部变成了金黄色，耀眼的光束覆盖了整个景观，直到整个屏幕都变成坚实的亮黄色。这是艺术史上的新事物：霍克尼的单色画。他画的是纯粹的光。然后，一句俏皮话出现了，每个字母都带有他标志性的欢快风格，并且都投下一个小影子："记住，你无法一直盯着太阳，也无法一直盯着死亡。"

霍克尼：我想我们可以这么说，不是吗？实际上，这是千真万确的，对吧？早在他们将"死亡等着你"的警告贴在烟盒上之前，就有这么多的建筑提醒我们死亡即将来临。它们被称作教堂。宗教正在严重衰落，这也许就是为什么现在有那么多人为死亡所困扰。

动画结尾的句子让我想起了达明·赫斯特给他的名作起的那个引人注目的标题：《生者不可能理解死亡》（*The Physical Impossibility of Death in the Mind of Someone Living*）。在这件作品中，一条死鲨鱼被保存在一个装满福尔马林的鱼缸里。我一直认为他的意思是不可能**想象**或设想死亡。这是真的。我

短片《“记住，你无法一直盯着太阳，也无法一直盯着死亡”》剧照，2020 年

的心脏病发作给了我死亡的暗示，或者至少是死亡的其中一个形式：有一种生命系统关闭或被关闭的感觉，视野逐渐变得模糊，四肢不愿听从指示而移动。当然了，这些都是生命尽头到来或可能到来时的体验。死亡，没有任何感觉，那是完全不同的，简直无法想象。

这部日出短片结尾的信息暗示了霍克尼所有画作的潜在主题。季节的循环是从新生到成熟再到衰败的过程。这显然就是发生在我们身上的事，也发生在一草一木之上。然而，他站在了绝望的对立面。正如在2020年春天新冠病毒爆发的高峰期，他向英国广播公司（BBC）发布他的一组iPad画时，只是简短地说道："我热爱生活。"

在我们的谈话中，他还暗示，他对生活不竭的热情是通过艺术创作激发出来的。"也许艺术家们可以很长寿，是因为他们不会过多地考虑自己的身体，而是思考别的事情。尽管我将近83岁了，但我仍然精力充沛。"也许，他会同意透纳的观点，据说他的遗言是："太阳就是上帝（The Sun is God）。"人们不禁会想，他可能实际上说的是："太阳很**不错**（The Sun is *Good*）。"意思是今天天气很好，尤其是对于一位画家来说。

霍克尼：如果用投影仪投放的话，动画中太阳的金黄色会让你眼花缭乱。它在iPad上就有点炫目。

盖福德：我得承认，我对光线上瘾了。阳光明媚的时候，我会自然而然地觉得这是一个充满希望的好日子。阴天则会让我感觉有点情绪低落。

霍克尼：我也是，这就是为什么加州对我来说是个很棒的地方。1933年，电影制作人恩斯特·刘别谦（Ernst Lubitsch）在柏林时，他对一位身为八卦专栏作家的德国女士说："你为什么不离开这里，到一年有 320 天阳光普照的加州来呢？”

过去，霍克尼经常说，对他来说美国西部吸引他的一点就是强烈的阳光。小时候在布拉德福德，看劳雷尔（Laurel）和哈代（Hardy）的电影时，他就注意到地面上强烈的阴影，并推断那里的阳光一定很强烈——不像在工业化的约克郡那样。1976 年，在他自己撰写的回忆录《大卫·霍克尼谈大卫·霍克尼》中表明，是性自由、沙滩男孩和健美运动员吸引他来到洛杉矶。但后来，他想，也许这地方的宽广无比才是真正的魅力所在。也许这三点都很重要，强烈的色彩这一点同样也很重要。

霍克尼不仅是一位空间的探索者，从艺术方面来讲，他还是个对空间痴迷的人。他承认自己有轻微的幽闭恐惧症，因此渴望得到更多的空间。他本能地反对文艺复兴的固定视点透视法（fixed-point perspective），因为它束缚了人。如果灭点是固定的，那么观者也一样。观者的眼睛，观者的目光，都不能自由移动。因此，他对纽约过敏，这是一座几何形城市，建立在一个网格上，矩形、边沿清晰的大楼拔地而起。对他来说，这是一种特殊的噩梦——“透视噩梦”。他需要能够自由地移动，从视觉方面来说，那就是空间。约在 40 年前，当他搬到好莱坞山上的那间房子时，他最喜欢这个新环境的原因之一就是“街道一点儿也不直，你根本不知道哪条是下山的路，哪条不是”。霍克尼“被这些蜿蜒曲折的小路迷住了，它们开始出现在画里”。他如此喜欢诺曼底新住所也有一个原因。正如他经常说的那样，他用了 J-P 非常喜欢的一个词“乱糟糟的”，而且“没有直线，即使**拐角**也不是直线”，这是对空间流动性的一种描述。所以，即使他囿于一个很小的区域，大约四英亩，他也感到很自由。在这些条件下，就像哈姆雷特一样，他“即使被关在果壳之中，仍然自以为是无限空间之王”。

*

疫情封锁影响了我自身的空间感，可能对其他人来说也是如此。写这篇文章的时候，我已经一个多月没有去任何地方了，除了步行能到的地方。内心空间是我们此刻必须去探索的，因为我们无法亲身去任何地方旅行。

霍克尼：内部空间和外部空间是相似的，不是吗？你永远不可能乘坐宇宙飞船到达宇宙的边缘。你不妨试着坐**公共汽车**，只有想象能带你到达那里。

你看过哈勃望远镜拍的那些照片吗？看起来像是水下的东西，但至少看起来是**五颜六色**的。宇宙中的大多数物体都没有任何颜色，这一事实让我倍感震惊，但是地球的颜色千变万化，我认为这使我们与众不同：蓝色、粉色和绿色。

的确如此。我们所知道的大多数天体都被它们的矿物质和气体染上颜色。因此，月球是单色的，在灰色和黑色的景色中只有微弱的蓝色调。众所周知，火星因其沙漠地形而略带红色。在我们了解的所有行星中，只有地球是由一个动态过程激活的多色行星。根据詹姆斯·洛夫洛克（James Lovelock）的盖亚假说（Gaia hypothesis），地球上的生命系统与无机系统以持续的、正反馈的方式相互作用，从而使整个系统作为一个统一的有机体发挥作用。至少，不可否认的是，这促进了生命，反过来又对生物体产生了反应。地球表面的相当一部分（霍克尼最近的画也是如此）被树叶占据。通过光合作用的过程，它们利用太阳的热量将二氧化碳和水转化为氧气，然后再转化为更多的叶子、茎、树干、种子和果实，这些反过来为许多生物提供了食物。

奥利弗·莫顿（Oliver Morton）在他的《月球》（*The Moon*）一书中解释说，太阳的热量促使地球不断发生变化（而惰性的月球只是升温，然后在远离太阳光线时，就会冷却下来）：

> 每一秒钟，太阳促使地表蒸发的1600万吨水升到天空中。在凉爽的高空，水蒸气凝结成平滑柔软的云层，凝结成高耸的暴风雨塔中的云，凝结成形似鹰、手锯和鲸鱼的云，凝结成微小的云滴和丰润的雨滴，凝结成猛烈的冰雹、高浮冰，以及天空中其他所有明暗、柔软和坚硬的物质。

这个蒸发和降水过程是全球系统的一部分，包括海洋“大批量”运输热量，正如莫顿所描述的，从热带运往两极。这样的运转，连同陆地和海洋的不同温度驱动成风，而风推动云层，从而产生了降雨。因此，霍克尼此刻所描绘的一切都与地球独有的大气和生物圈直接相关，它们不断地相互作用，我们都是其中的一部分。他在描绘生命的历程。这才是真正的风景。

霍克尼：你看到我画的那幅描绘工作室外的小路和极具戏剧化的天空了吗？我在这里画的天空都是大自然创造的。你开始画画，然后意识到它们在迅速变化。但我只是继续画着，偶尔改变它们的形状。我觉得我画了一些相当不错的画。我的意思是，你不能**编造**一片天空，我不认为有谁可以。如果你真的这样做了，显然是会露出马脚的。

*

在 2020 年春天，出现了一系列所谓的“超级月亮”，其中最大最亮的一次是在 4 月 8 日。这是一种自然的、相对频繁的现象，是地球卫星的轨道不完全规则所致。它发生变化时距离我们大致在 36 万到 40 万公里不等。满月时，也是在它最近的时候，超级月亮就出现了，它比普通月亮面积增加了百分之十四，亮度增加高达百分之三十。到目前为止，月亮变大完全是一个物理问题。但月亮升起或下落的时候，另一个与我们和我们的心理有关的因素就会发挥作用。如果它靠近我们视野中的其他物体，例如山、屋顶或树，它会比在晴朗、黑暗的天空中看起来更大。这是因为我们有一个可以与之比较的对象，这反过来提醒我们，大小总是相对的：与其他事物（通常是我们自己）相比，显得大或小。因此，在午夜时分，霍克尼看到了一个特大号的、闪闪发光的圆盘挂在自己熟悉的那棵树的枝头。

霍克尼：我刚起身如厕，就透过窗户看到了它。我在 iPad 上快速地将它画了出来。如果要用画笔和颜料，就要花上好长时间，那会折损我对它的那种感受。我认为这幅画相当不错，比照片上的效果要好得多。我观察了月亮好一会，当你亲眼观察的时候，就会看到它周围的光环，你在照片上根本看不到这个，因为它太远了。这就是镜头把物体推开的一个例子。从镜头里看月亮，会小得令人失望。

霍克尼对月亮的感知将身处诺曼底的他与遥远的东方联系起来。在日本，每年 9 月和 10 月有一个叫“月见”（Tsukimi）的秋季节日，届时人们举行聚会，邀请客人们一起赏月。在歌

《第 418 号》，2020 年 7 月 5 日

《第 369 号》，2020 年 4 月 8 日

川广重（Hiroshige）的“名所江户百景”中，就有一幅画描绘了赏月观景台——一条伸向大海的开放式长廊。“大花园”除了是一间与其他住宅相距数英里的农舍，由于光污染最少，也是天然的绝佳赏月地段。

霍克尼： 我侄女说她想拍一张大月亮的照片，我说：“不行，你得把它**画**出来，就像日出一样。你不能用相机拍它，因为这是光源。”你也无法拍摄日出，因为这个光源点对于相机来说太亮了，若真的想拍，要透过一片深色的玻璃拍。所以你得把它画出来，就像我画雨一样。

盖福德：超级月亮出现在3月和4月，还有一次预计出现在5月。所以，最近月亮经常出现在新闻里。

霍克尼：他们阻止不了月亮，对吧？月亮依旧出现，它可**不管那么多**。“最近出现在新闻里！”［笑］

那个时候，话题突然从满天繁星的夜空转到了另一个完全不同类型的世界：由电视、广播、电影和其他文字和图片媒介所创造的那个世界。

霍克尼：我受够了这些！一切新闻都与新冠病毒和特朗普总统有关。我认为特朗普是最后一批电视从业人员。他因主持一档电视节目而出名。他的名气是通过媒体创造的，但它正在迅速消亡。

盖福德：成名是一种奇怪的现象。不是每个应得的人都能得到它。但是一旦你因为某些原因获得了它，就很难再失去了。

霍克尼：J-P只是提醒我，斯坦福桥［约克郡附近］以前有座卫理公会教堂（Wesleyan Methodist Chapel），我曾经还拍过照片，现在这个地方变成了皮肤护理中心。这种使用的变化似乎总结了这一点，这座建筑已经从对灵魂担忧变成了只对**外表**担忧。1993年，我们在洛杉矶制作《没有影子的女人》（这是理查德·施特劳斯的歌剧，顺便说一下，它的名字非常霍克尼式）的时候，我们打算去参观一下位于洛杉矶西部的勋伯格（Schoenberg）故居，但真正让人想去的原因是，他的家和O.J.的家只有三户人家的距离，谋杀案就发生在那里。勋伯格竟然就住在这条街上。

盖福德：O.J.辛普森（O. J. Simpson）和阿诺尔德·勋伯格（Arnold Schoenberg）这两人的组合，可能会成为“寻找20世纪历史上共同点最少的两个人”比赛的获胜者。事实上，二人唯一的联系就是他们都很出名，但原因却截然不同。

霍克尼：［大笑］有时候我受够了自己出名。我一直认为这是个疯狂的世界，我也一直这么说，但我认为世界现在变得更疯狂了一点。我只想待在这里，在这儿我们可以避开世界的疯狂。

《第 470 号》，2020 年 8 月 9 日

《第 584 号》，2020 年 10 月 31 日

9
华丽的黑色与微妙的绿色

霍克尼：我刚刚通过电子邮件给朋友发了一张慰问卡片。J-P 对我说："你不知道收到你在 iPad 上画的那些带有彩色字母的信息感觉有多么好。你可能没想这么多，但这些对于收到的人来说真的很重要，因为他们除此之外不会收到其他类似的信息。"

盖福德：嗯，对的——的确如此。我们把你的圣诞节和新年祝福信息打印出来，然后贴在墙上，现在都还在呢。那天约瑟芬说我们也许应该把它们拿下来了，因为圣诞节已经过去很久了。我还喜欢你关于病毒和经济的宣言 [在背面]。你几乎把字母点亮了，就像在百老汇剧院前看到的那样。似乎你把颜色变成了信息的一部分。

过去人们相信有一种色彩的语言。例如，凡·高曾写道，他希望发现如何"通过两种补色的结合、混合或对比，相邻色调的神秘震颤来表达一对情人的爱情。通过深色背景上的浅色调来表现脑中的想法；通过繁星来表现希望。通过落日的光芒来表现生命的热情。这当然不是**拟真**（*trompe-l'oeil*）的现实主义，但这难道不是真实的存在吗？"

如今，并不是每个人都同意或赞同"通过两种补色的结合"来描绘爱情的想法。有一次，我和罗伯特·劳申伯格（Robert Rauschenberg）聊天，他强烈反对抽象表现主义前辈画家们的观点，他们强行使用一些本来中性的颜色，比如红色，来表达

《第 135 号》，2020 年 3 月 24 日

其内心感受和心理问题。

霍克尼：呃……劳申伯格对色彩不是很在行，对吧？我去泰特现代美术馆看他的展览时，觉得他根本称不上**色彩大师**。若想成为色彩大师，你需要**了解**并且**享受**色彩，不是吗？

了解和享受这两点都很重要，而霍克尼就同时满足了这两点。几天后，当我们谈到黑色时，他讲了一个小故事，从中可以显现出他享受颜色带给他的乐趣。

霍克尼：有一次，我在日本的时候，获了个奖还是什么的，然后一位公主进来了——一位老妇人——她穿着一条黑裙子，你能一眼就看出它是由三种不同的黑色组成的，并且其中还有不同的黑色影子。我当时想，太棒了。印象很深刻，我一直记得。

1989 年，他在东京与威廉・德・库宁（Willem de Kooning）共同获得了日本艺术协会颁发的第一届高松宫殿下纪念世界文化奖的绘画奖（Praemium Imperiale for Painting），皮埃尔・布列兹（Pierre Boulez）获得了音乐奖，贝聿铭获得了建筑奖。这对霍克尼来说是一种荣誉，是一件值得纪念的事情，但最特别的是，真正留在他记忆中的是那三种微妙而华丽的黑色。

尽管事实有时会被遗忘，但正如亨利・马蒂斯（Henri Matisse）在 1946 年一篇短文中指出的那样，黑色是一种颜色，实际上是最重要的颜色之一。“把黑色和其他颜色（黄、蓝、红）看作同等的颜色并不是什么新鲜事，”他写道，“东方人把黑色当作一种颜色，尤其是在日本人的版画中。我想起了马奈的一幅画，一位戴草帽的年轻人穿的天鹅绒外套被涂成了一种钝而透明的黑色。”马蒂斯以霍克尼完全理解和认可的音乐类比总结道，黑色是色彩和谐的一个关键元素，堪比“作为独奏乐器的低音提琴”。当然，想想看，霍克尼自己也是一位运用黑色的大师，他创作了一些最令人难忘的作品，比如只用炭笔画的那幅《2013 年春至》。随着我们对黑色的讨论继续进行，发现他曾经受到一位涉及黑色的艺术家的启示，而没人，似乎就连霍克尼本人也不会将这位艺术家与霍克尼和他的作品联系在一起。

霍克尼：1991 年夏天在纽约时，我去了现代艺术博物馆，给版画签名。那是一个星期三，博物馆关门了。我准备离开的时候，带我回去的馆长说：“你想看艾德・莱因哈特（Ad Reinhardt）的展览吗？”我当时一定是耸了耸肩，但我嘴上说：“嗯，好的。”然后，令我惊讶的是，我看到那些作品

> 时，觉得它们非常美。有一间展厅里展出的都是单一的黑色画，另两间展厅分别放着红色画和蓝色画。我站在每一幅画前，只是看着，给每幅画三四分钟的注意力，然后再继续往前走。我意识到它们是多么**微妙**，我真的很喜欢这个展览。后来在第五大道，我遇到了艺术出版商雷蒙德·福伊（Raymond Foy），他问我："你最近看到什么好东西了吗？"我回答说："是的！我刚看了莱因哈特的展，太棒了！"起初他还不相信我。

莱因哈特谨慎地在我们可以感知的临界点上作画——心理学家称之为JND，即"最小可觉差"（just noticeable difference）——这是迫使我们集中注意力的一种方式。你必须花时间去看他那些画，亲身感受其存在，此外没有其他的体验方式。他的黑色系列画似乎像在人们眼前慢慢展开，就像过去在暗房里冲印胶卷一样。这个过程和在一个几乎没有光线的空间中所发生的过程完全相同——在没有星星的午夜走出室外或进到地窖里面。起初，你什么也感觉不到；然后，你眼睛的视杆细胞和视锥细胞一点点调整，一幅作品就出现了——一个方格，通常以十字形排列——你会注意到一个微妙的色调和色调范围，而不是千篇一律的黑色。实际上，这些画是由一层又一层的颜色构成的。网格中的每个方块都由红色、蓝色、绿色与黑色混合而成，形成一种强烈的深色调。记录那次展览的照片看起来像是一场骗局或恶作剧：美术馆里挂着一幅幅长方形的画，它们都是一成不变的纯黑色。但这也正是莱因哈特的观点之一：你必须亲自去看看那些画。

霍克尼：它们都是**不可复制的**，你没法在书里看到。更形象的图像

1991 年 6 月 1 日—9 月 2 日在纽约现代艺术博物馆举办的艾德·莱因哈特展览的现场

可以存在于印刷品中，你仍然可以从中收获很多。但是艾德·莱因哈特的画印出来几乎什么都没剩。

莱因哈特对绘画的处方——“无形的、没有顶部、没有底部、黑的、没有对比色、刷掉笔触、哑光、平坦”——让他看起来像是霍克尼的对立面。但很明显，他们对色彩的微妙性有着共同的兴趣，这也是霍克尼所说的了解色彩的一部分。

霍克尼：我们刚买了一台新打印机，不像上一台八色打印机，新的这台有十一色。它多出一种绿色、一种紫色，以及另一种红色。然后它有一种用于常规打印的哑光黑，还有一种用于照片打印的相片黑。在收到之前，我说：“嗯，我认为绿色用这台打印机会显得更加微妙。但我可能是唯一一个看到它们的用户，因为如果你只是用它来打印照片，你几乎不会注意到任何区别。”我用各种绿色画过一幅画，我们分别用旧机器和新机器打印出来。你知道 RIRO 原理吧？输入垃圾，输出也就垃圾（Rubbish in, rubbish out）。如果是处理彩色摄影，这真的是个 RIRO 问题。因为镜头不能记录微妙之处。人类以不同的方式看颜色，但不是每个人都能注意到这些差异。刚到约克郡的时候，我和一个朋友一起开车，我问：“路是什么颜色的？”他说：“我明白你的意思。你仔细看的话，能看出它是**紫**灰或**粉**灰色的。”我说：“是的，你必须切切实实地去看。”大多数人不是这样的，所以他们只看到前面灰色的柏油马路，侧边有绿色的东西，而没有看到很多种**不同的**绿色。所以我想这台打印机一定是专门为我造的！

霍克尼观察东约克郡乡间马路的方式和莱因哈特想让人们看他的黑色画的方式非常接近——非常努力，这样他们就能看到紫黑色和红黑色之间最细微的差别。当然，也有一个根本上的不同：霍克尼观察的是现实世界。他很少抽象地讨论颜色，也许部分原因是很难这样做。我们并没有足够的词汇来描述多样的、细微差别的绿色调。为此，我们需要一种不同的语言，可能类似于因纽特人的语言。人们一再声称，因纽特人有 50 多个不同的词来表示雪，这只是一种简化的说法，但并非没有根据。事实上，他们以及斯堪的纳维亚半岛北部的萨米人，通过所谓的“语言的多式综合”（linguistic polysynthesis）或将单词连在一起来增加他们对事物的描述，创造出意味着“新雪”“细雪”或“软而深的雪”的术语，很像霍克尼的“紫灰色”和“粉灰色”。尽管如此，除非与你交谈的人也在做莱因哈特对看他画的观众所要求的“非常努力地看”，否则可以就颜色进行交流的程度是

《东约克郡沃德盖特的春至，2011 年 1 月 2 日》，2011 年

有限的。雪对居住在北极地区的人们来说很重要，所以他们会聚精会神地观察雪。对于东约克郡的大多数司机来说，道路的确切颜色并不是那么重要，所以他们不会注意到它。但这对霍克尼来说很重要。

霍克尼很少抽象谈论色彩的另一个原因是，色彩对他来说总是特别的：它是现实世界的一个方面。在我们的《图画史》那本书中，谈到塞尚画的玩纸牌的人时，他说，想要阐明这批画作的强大之处并不容易："不仅是因为体积感，不仅是因为色彩。我认为这组画几乎是历史上首次有画家真正诚实地努力将一群人画进一幅图画。"他一直对不表现现实世界的艺术持怀疑态度，我们称之为"抽象"，因为找不到更好的词。但正如他对莱因哈特画作的反应所示，这并不意味着他不欣赏它。早在 1977 年，他就告诉彼得·富勒（Peter Fuller）："偏向音乐的那种绘画是不同的，从某种意义上来说，它是关于自身的，或者是关于一种愉快的观看事物的感觉，而不是来自可见世界的其他感觉。以色域绘画（colour field painting）为例：它可以美得惊人。但是，对我来说，这只是艺术的一小部分。"

*

色彩并不是一种完全客观的现象。霍克尼在谈到他的新打印机时指出，我们看到的并不是照片重现的内容。拍摄电灯照明的室内的旧彩色照片染上了黄色，因为电灯是淡黄色的。但没有人真的坐在房间里看到这一景象，因为他们的大脑经过调整适应了黄色调。同样，大多数人也不会注意到约克郡公路的紫色色调，因为他们的注意力不会放在这上面，但霍克尼却注意到了。

如果抛开风格标签不算的话，那么从 20 世纪 40 年代到 60 年代，英国绘画最明显的发展之一就是总的来说它变得更加丰富多彩。就好像在某个时刻，太阳出来了。对于许多截然不同的艺术家来说，都是如此，比如弗朗西斯·培根、彼得·兰永（Peter Lanyon）、弗兰克·奥尔巴赫。在 20 世纪 50 年代早期，他们每个人的作品都是相对阴郁而单一的，但十年后，他们的调色板都变得明亮起来。这在一定程度上反映了一种真正的物质变化。随着配给制的结束和国家的繁荣，服装和其他制品的色调变得更加欢快。这反映了情绪的变化。人们越来越乐观，尤其是年轻一代。世界似乎变得更加丰富多彩。

霍克尼：是的，至少对我来说是这样的。

1959 年秋天开始在皇家艺术学院学习的几个学生对野兽派很感兴趣。马蒂斯、马尔凯和其他所谓的“野兽派”成员被称为“野兽”，因为评论家们对他们色彩的强度感到震惊。这种方法以前对英国艺术家没有多大吸引力，甚至没有引起他们的注意。与霍克尼同时代的艾伦·琼斯（Allen Jones）记得，在一堂写生课上，老师罗斯金·斯皮尔（Ruskin Spear）唐突地问他：既然这是伦敦一个灰色的日子，模特儿也同样没有颜色，你为什么要把她涂成鲜红和鲜绿两种颜色。霍克尼选择野兽派作为毕业论文的主题（带着反对情绪，因为他当时认为野兽派的做法是搞艺术的偏门）。然而，在接下来的十年甚至更长时间里，尽管他的色彩美丽、清晰且强烈，但比起野兽派，他更让人想起 15 世纪的大师皮耶罗·德拉·弗朗切斯卡（Piero della Francesca）和弗拉·安杰利科（Fra Angelico）的作品，他更喜欢他们的作品。野兽派对他的作品产生直接影响是后来，在他 1973 年到 1975 年在巴黎逗留之后，与此同时，他为纽约大都会歌剧院设计两场三联剧的第一场时，被自由灵动的“法式笔痕”深深打动了。他回忆说，在布景和服装上，“我使用了马蒂斯的颜色——红、蓝、绿”。换句话说，他把颜色旋钮调高了。

然后，他用“马蒂斯色”装饰他在洛杉矶的房子。“1982 年，我在纽约为《游行》、一部芭蕾和两部歌剧制作布景后，把我家的阳台刷成了蓝色。我买这栋房子时，也使用了同样的颜色。画家们都觉得我疯了。但是等我刷完，他们看到了效果有多棒。”霍克尼提到马蒂斯的次数并不像塞尚、毕加索或凡·高那样多。但他们之间是有联系的。当《纽约时报》评论家罗伯塔·史密斯（Roberta Smith）评论霍克尼的 80 周岁回顾展时，她强调了这种联系。“他延续了法国现代派 1909 年的杰作《谈话》（*The Conversation*）中浓浓的蓝、绿、黑、红四色，无人

亨利·马蒂斯,《谈话》，1909—1912 年

《带蓝色露台与花园的室内景》，2017 年

能及，连马蒂斯本人也不能超越。”这的确有赞美的成分，但她说得没错。霍克尼所从事的不仅仅是风景画和肖像画，尽管克莱门特·格林伯格（Clement Greenberg）等批评家声称，风景画和肖像画已经被艺术史的进程所抛弃。霍克尼还不管不顾地以同样的精神延续了巴黎盛期现代主义（Parisian high modernism）的整个传统。像史密斯写下的那样，他证明了“野兽派、立体主义、后印象主义（Post-Impressionism）、生物形态抽象主义（biomorphic abstraction）的遗产已经成熟，可以进一步发展——借助于合适的尺度、放大、即兴发挥和饱和的色彩”。霍克尼本能的叛逆无疑有助于他无视那些告诉他不能画自己想画的东西的声音。格林伯格是 20 世纪 50 年代末和 60 年代初最具影响力的艺术作家，而这正是霍克尼走向成熟的时期。不过，他对格林伯格的宣言视而不见。

霍克尼：我对格林伯格有点儿了解。他是个挺有趣的人，但他有一些愚蠢的想法。例如，不能再画肖像画了；他这么说，就是把一切交给了摄影！他是艺术史界的弗朗西斯·福山（Francis Fukuyama），他说绘画的历史已经因色域抽象（colour-field abstraction）而走到了尽头。他认为肯尼思·诺兰（Kenneth Noland）、朱尔斯·奥利茨基（Jules Olitski）在做很重要的事情。我可一点儿都没看出来。

格林伯格认为立体主义导致了抽象主义，但毕加索和塞尚却不是这样。我认为塞尚和立体主义的教诲不应该被遗忘。并不是说批评家说什么都是对的。看看罗斯金，如果你读过他写的有关惠斯勒的文章，你会发现他写得很糟糕。他不懂惠斯勒，而且读起来也索然无味。批评家们对我 2012 年展出的约克郡风景画表示不满的一点是，画的颜色太艳了，但我完全不这么觉得。

在 20 世纪 70 年代，霍克尼渴望打破他所说的“自然主义的陷阱”，这是一种与摄影联系在一起的观察世界的方式。正如我们所见，我们体验色彩的方式不同于照相机；正如霍克尼经常强调的那样，我们也不会以照片所表现的方式来感知空间——或者说任何东西。我们心理性地观看，正如他常说的，我们的眼睛与我们的思想相连。他终于在 1975 年摆脱了自然主义的束缚。这一突破源于他阅读了华莱士·史蒂文斯（Wallace Stevens）写于 1937 年的一首诗：《弹蓝色吉他的人》（*The Man with the Blue Guitar*）。第一节是这样开头的：

那人躬身在他的吉他上，
像个裁缝。那日是绿色的。

他们说："你有一把蓝色吉他，
却没弹奏如其所是的事物。"

那人答道："如其所是的事物
在这把蓝色吉他上被改变了。"

[飞渡 / 译文]

霍克尼在火岛（Fire Island）度假的时候，读了史蒂文斯的诗。一开始，自己"不确定这是什么，在某种程度上似乎和想象力有关。但我很激动。第二次读的时候，我大声读给一个朋友听，这让它变得清晰起来。这也是关于毕加索的，关于改变事物、改变你看待事物的方式的想象力。我受到这首诗的启发开始画一些画"。这些画后来发展成 20 幅彩色蚀刻画的一个组合——这是他从奥尔多·克罗默兰克（Aldo Crommelynck）那里学来的技术。霍克尼的版画并没有确切地阐明这首诗，这首诗无论如何都没有叙事性。它们以他觉得最根本、"激动人心"的一点自娱：想象力能够改变世界和我们感知世界的方式——根据史蒂文斯的中心隐喻，可以通过色彩的变化来实现——或者至少通过体验色彩的方式。吉他通常不是蓝色的，至少在摇滚和电气化出现之前不是。天通常不是绿色的。但霍克尼的蚀刻画传达了这样一个想法，你可以按照你想要的任何方式为世界着色，无论它是一个想象的领域还是一个真实的地方。在《我说他们是》（*I Say They Are*）这件作品中，显眼的红、蓝、黄、绿、黑五色的墨水垂落在虚构的、另类的一个单色内景中的地毯上。这就好像他在说：这是从管子中挤出来的颜料，我可以把它变成我想要的任何东西。

早在 2019 年，他在诺曼底的第一年，在一些精美的彩墨素

《墨水试验，3月19—21日》，2019年

《我说他们是》，选自《蓝吉他》，1976—1977 年

描中，他顽皮地回到了类似的主题。它们几乎像样本图表，将彩墨媒介所擅长的不同笔触、各种类型的点、色块、晕染以及各种深浅浓淡制成表格一样的图画。与此同时，它们也是他正在探索的这个新的法国乡村世界内容的异想天开的目录。我认为这些画也是对凡·高附在信件中的那幅精美的小速写的致敬，就像霍克尼在电子邮件中附上他的最新作品一样。凡·高也有同样的意图，他希望尽管朋友们离他很远，也能了解到他每天都在创作什么。但由于需要依赖邮政服务，并且只用墨水写作，他经常备注那些曾在特定的作品中使用过的颜色的名称——**“草绿”“玫瑰红”“紫罗兰色”“宝石绿”“纯白”**——甚至还有他标

文森特·凡·高,《圣玛利的街道》,
出自 1888 年 6 月 7 日他写给阿尔的埃米尔·伯纳德的信件

志性的颜色如钴蓝，这样读信的人就可以在脑海中浮现出画作上色后的样子了。

霍克尼谈到色彩时，通常指的是它持久的品质。因此，当他讨论这个问题时，往往是关于他使用的颜料，而不是它们的色调；他在实际绘画的过程中也是如此。前者是化学物质，具有不同性质；有些颜色会比别的颜色更容易、更迅速地改变。他会让 J-P 时刻准备着往他的调色板上加点钴蓝色，或那不勒斯黄（Naples yellow）。他意识到他现在作画的技法将会影响到画作 100 年后的状况。

霍克尼：凡·高有好纸、好墨和好笔。但有时他画中的颜色也会发生变化。其中一幅卧室画原本是紫色的，如果配上他用的那种黄色，会很漂亮。但是现在它变成了蓝色。很多画随着时间变久而颜色变暗。举个例子，库尔贝那幅《画室》看起来就是变暗了，我想沃霍尔的一些作品也是。他用的是丝网印刷的墨水，我觉得颜色会变深。如果你作画时没用对画材，你的画也不会保持很久。真是这样的。英国许多在 20 世纪 50 年代创作的画现在颜色就已经变得很深了。在皇家艺术学院的茶室里，曾经陈列着许多 20 世纪 50 年代到 60 年代的画作，包括罗斯金·斯皮尔、卡雷尔·韦特（Carel Weight）、罗伯特·布勒（Robert Buhler）这些人的作品，你不知道这些画作的颜色现在变得多么暗！

盖福德：他们都是你在皇家艺术学院的老师。我原以为，因为二战后那段阴郁的时期，这些画才画得那么黑沉。回想起来那段时期好像是这感觉。不过，也许部分因为这些画的严肃相，造成了那样黑沉的观感。

霍克尼：我的画在 50 年后仍然保存得很不错，颜色没怎么变。我一直意识到这一点：如果你画的时候就考虑到要让它保持很久的话，那么画就可以保存很长时间。我觉得我在这些新画上用的颜色不太会变的。这是一种慢干丙烯（slow-drying acrylic），就像油画一样，所以你可以混着油画颜料来用。我用隔夜就干的罩染色画。

盖福德：我在读保罗·希尔斯（Paul Hills）《威尼斯的色彩》（*Venetian Colour*），其中提到提香（Titian）的一件祭坛画，据说那幅画的木板和上光油之间有十层罩染色。

霍克尼：我觉得里面应该有红色或橙色。华丽的黑色通常含有橙色。我发现这会让黑色变得有些不同。［实际上，提香画作的其

扬·维米尔,《绘画艺术》(局部),
约 1666—1668 年

中一层是棕红色的，由“焦赭色、朱红色以及少许铅白色”组成。]委拉斯开兹也很擅用黑色。还有维米尔《绘画艺术》(*The Art of Painting*)里的黑色画得极其出色，就像艾德·莱因哈特一样。画家衬衫上不规则的条纹图案使他的背部**显得栩栩如生**，这让你感觉到他真的在做着什么一样。

但一切色彩都是转瞬即逝的，不是吗？现实生活中的色彩也是如此，总是在不断变化着。即便如此，一些画家总能让他们的画经久不衰，即使画中用了最易变的绿色。安格尔现藏于费城的一幅肖像画描绘了一位穿着绿衣服的女人，画得很棒，我觉得其中的绿色很好看。扬·凡·爱克(Jan

让-奥古斯特-多米尼克·安格尔，
《图尔农伯爵夫人》，1812 年

van Eyck）《根特祭坛画》（*Ghent Altarpiece*）中的绿色也一样。长期以来，绿色都被认为是一种易变的颜色，许多老画的绿色都变成了棕色。康斯太布尔是 19 世纪最早大量使用绿色的画家之一。当他的一幅风景画被摆在皇家艺术学院展品审查委员会面前时，有人喊道："把那讨厌的绿色玩意儿拿走！"他的赞助人乔治·博蒙（George Beaumont）说，一幅画应该是一把旧小提琴的颜色。他们甚至用了克劳德镜，把画染成金棕色，让这个真实的乡村看起来更像克劳德的画。（克劳德镜是 18、19 世纪观看风景用的微凸面镜，可以将现实风景的色调统一得更深沉耐看——审订者）透纳也不太喜欢绿色。

盖福德：我想，在 18 世纪，人们的品位已经适应了随着时间变暗、涂上棕色上光油的老大师绘画。所以康斯太布尔的绿色看起来很花哨。但是，从心理学角度来讲，绿色是主导我们注意力的颜色。如果你给某人看相同亮度的红色、绿色和蓝色色块，绿色会显得最亮，蓝色最暗。这可能是因为我们数百万年来的进化，使我们更能看清叶子，找到食物。

霍克尼：像棕色和赭石色这样的矿物颜料色也是最持久的，不是吗？

盖福德：那些非常昂贵的颜料，比如天青石，也是如此。如果你想用天青石来画画，就要花更多钱。这就是为什么圣母总是会披着一件天青色披风的部分原因，只要委托人付得起。真的很漂亮，但也很贵——所以这给圣母增加了荣光。

霍克尼：很可能是这样。我买了一管天青石色颜料，但我觉得不是**那么**蓝。

J-P：［从后台发声道］你没用它！对霍克尼来说还不够蓝。

霍克尼：是的，它不是“**霍克尼**蓝”。

《泼墨》，2019 年

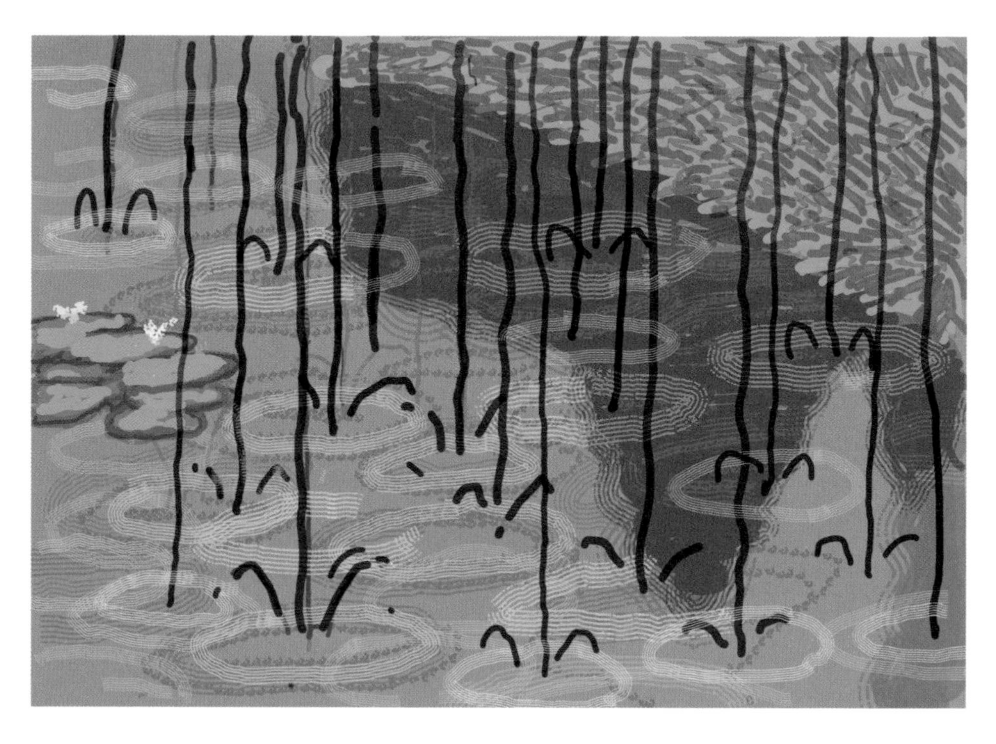

《第 263 号》，2020 年 4 月 28 日

10

几朵小水花

一个雨天，我的收件箱里收到了霍克尼画小睡莲池的一幅画。

霍克尼：我不得不在雨中盯着池塘看了大约十分钟，然后我进屋将它画了下来。我观察时注意到，当一滴水珠落在水里时，会泛起小水花，这会在水面上形成小圆晕，然后一圈一圈荡漾开来。

这张画他描绘了雨滴落下和涟漪形成的自然过程，并且以图解和感觉真实的自然主义方式加以表现。水看起来很真实，触手可及，但波纹的圆晕是明显的几何形状，而下落的雨则用黑色线条表现：象征透明的、快速移动的、很难用眼睛捕捉到的雨滴，只能用符号表示而无法转译为绘画形式。

霍克尼：拍摄下雨的场景也很困难。在好莱坞拍摄《雨中曲》（*Singing in the Rain*）这部电影时，他们把牛奶倒进水中，水里混入了白色，这样摄像机才能捕捉到这个画面。就像黎明、日落和月亮一样，这是艺术家必须会画的场景。葛饰北斋和歌川广重都很擅长画这些。日本艺术家往往很擅长表现天气。日本是大陆尽头的一个岛国，和英国很相似。而且那边经常下雨，你可以在他们的画和黑泽明（Kurosawa）的电影中感受到这一点，但那里也有充足的阳光和风，以及多变的云。

你可能会说霍克尼的这张新画是对大雨如注这一场景的抽象表现，很像歌川广重作于1857年的那幅《大桥安宅骤雨》（*Sudden Shower over Shin-Ohashi Bridge and Atake*）中从天空中挥砍般倾泻而下的线条。另外，柔和的暗影打断了覆盖着大部分睡莲池的银色倒影，确切地传达了水的质感：它的流动性、它的重量，甚至它的温度。

无论是池塘、水坑、游泳池还是大海，水是霍克尼永恒的主题之一。他并不是唯一一位这样的画家。一个著名的例子就是莱奥纳尔多·达·芬奇，流体动力学是令他着迷的事物之一，他一遍又一遍地画着，试着去理解翻腾的溪流，漩涡在其中像发辫一样旋转着。霍克尼把他的画发给马丁·坎普（Martin Kemp）（他目前每天会发送一至两次），他是研究莱奥纳尔多的著名权威学者，牛津大学艺术史系的名誉教授，也是他的老朋友和盟友。不久，他觉得用另一幅画来回应霍克尼用电子邮件发的作品会非常有趣。结果就有了这样一场前所未有的对话：艺术家和艺术史家之间关于艺术的探讨，几乎完全是以视觉的方式进行的。

霍克尼：我把画发给他，他会回给我一张绘画作品作为评论。他一直这么干，而且回复得超级快。他引用的艺术史作品给我留下了很深刻的印象。为了回应我那张日出的作品，他给我发来了一幅但丁（Dante）《神曲》（*Divine Comedy*）中的插图，描绘的是鹰如何凝视太阳——这显然是一种中世纪的信仰。

歌川广重，《大桥安宅骤雨》，1857 年

康拉德·维茨，《捕鱼的奇迹》(局部)，1444 年

当霍克尼发送了那幅雨滴图之后，坎普迅速回复了 1444 年的一张画的局部：康拉德·维茨（Konrad Witz）《捕鱼的奇迹》（*The Miraculous Draft of Fishes*），他是一位德国南部的艺术家，他的大部分职业生涯都在现在的瑞士工作（当然，那时候没有这个国家，也没有德国）。他的创新之一是将这段圣经故事设定在瑞士当地的风景中。他把它从加利利海（Sea of Galilee）搬到了莱蒙湖（Lac Léman），而勃朗峰（Mont Blanc）和勒莫尔（Le Môle）的山峰出现在附近的山丘上。在这个过程中，维茨可能成了第一位凝视着一片真实水域并且描绘他所见的欧洲艺术家。

霍克尼：维茨真的去看了水，他观察到了很多东西：浅滩上的那些小气泡和倒影，还有圣彼得涉水走向基督时，他的腿在水中看起来扭曲的样子。我还知道他的其他一两幅画，画得**相当**好。

这幅《捕鱼的奇迹》是描绘"水花四溅"这一主题的最早作品之一，这是 20 世纪 60 年代末让霍克尼很是着迷的一个主题。维茨画中的那些水花很小，而霍克尼画中飞溅的水花大小不一。1966 年的《水花》（*The Splash*）因次年的《一朵大水花》（*A Bigger Splash*）而出名。他在画完这两幅画后不久就解释了为什么这个主题如此吸引人。事实证明，这在一定程度上与时间有关："水花本身是用画笔和细线条画出来的，我花了大约两周的时间才把水花画好。首先，我喜欢像莱奥纳尔多那样作画，喜欢他对水和漩涡的研究。"

同样吸引人的是，这个瞬间发生的事件他却画得很慢。几年前，他详述了这一说法。他在接受美国国家公共电台（NPR）

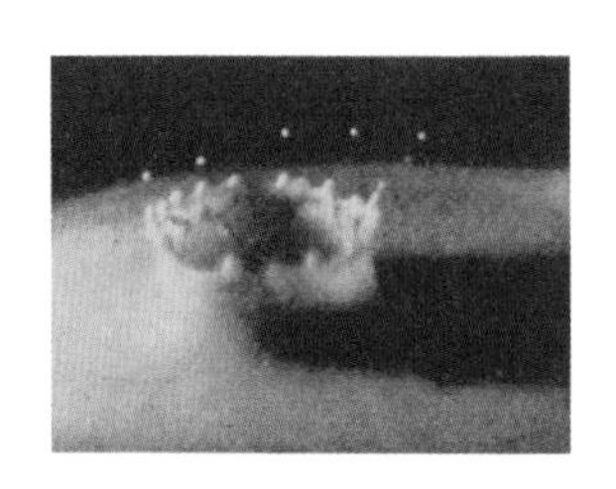
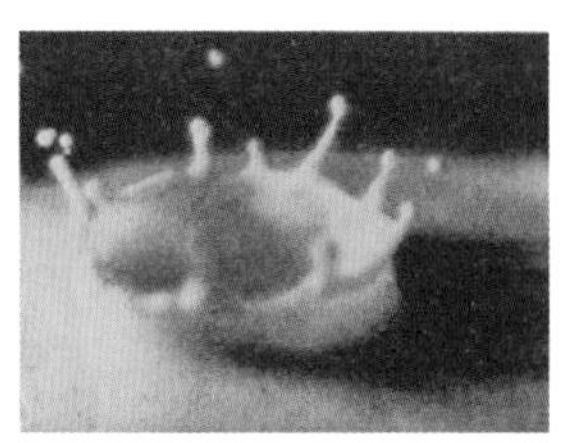
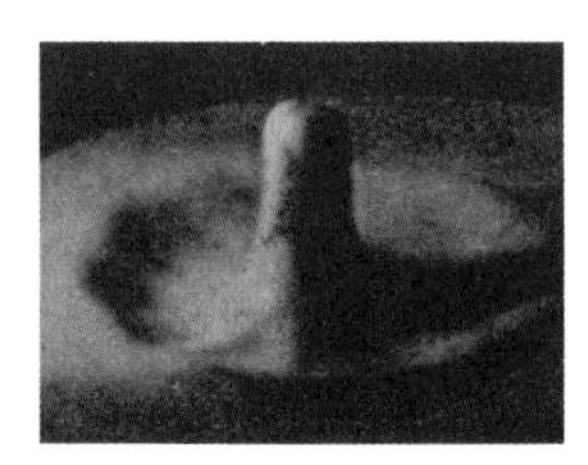

阿瑟·梅森·沃辛顿在 1895 年出版的《液滴溅落》一书中的卷首照片

采访时表示："在这幅画中，我画水花的时间比画任何其他东西的时间都要长。"他并没有像弗朗西斯·培根在画《喷水》(*Jet of Water*) 时那样，把颜料往画布上泼洒来模仿涌出的一股水。"我想慢慢地画，然后我想，这和水花飞溅的快速效果相矛盾，真是这样。"因此，这些画水花的画可以说是一种时间游戏，他以植物学家描述标本的方式对待这一流动的混乱时刻；换句话说，他几乎像个科学家一样对待它……但也不完全是。

这一场景的一张高速摄影的照片，揭示出一些不同于我们通常看到的和霍克尼描绘的水花飞溅的景象。在 19 世纪末，一位名叫阿瑟·梅森·沃辛顿 (Arthur Mason Worthington) 的物理学家率先使用这种照片来研究这个主题。他分析了一滴牛奶落入茶水中，或者一大颗雨滴落入池水漾起的圈圈涟漪。首先形成的是一个水坑，坑的边缘喷涌而出。然后，反弹产生了一道"水柱"。但是，他指出，"经常会有一种奇特的错觉"："我们似乎经常看到那个水坑，水柱立在中间。我们现在知道了，实际上在水柱出现之前，水坑已经消失了。但是水坑的图像还没来得及消失，水柱的图像就已经叠加在上面了。"

这种水柱、喷溅和水坑同时存在的视错觉差不多就是霍克尼在他的游泳池画中所描绘的现象。然而，即使我们尽可能地

《一朵大水花》，1967 年

集中注意力，观看的体验也往往会出现这样的情况。我们看到的与我们和**我们**的感官有关，是我们运转于其上的特定时间带宽：比飞溅的速度慢一点，比山体的侵蚀速度快得多。我们想象中的很多客观事物，例如色彩，实际上是主观的：这是我们的感官设备转译所接收到的数据而产生的。这并不会使我们看到的颜色不如照片上的颜色真实，霍克尼画的水花飞溅也不比沃辛顿的高速摄影更不可信。相反，他的画**更**像是我们实际感知的水花飞溅。正是这种逼真性使霍克尼的这些作品既诙谐又深刻。它们是对几乎只存在于瞬间的事物之美丽、复杂、缓慢的再现：这是对时间、艺术和感知的玩笑，也是对水的运动的表现的仔细记录。

时间和规模是相对的，尤其是在图画中。你可以把一个小水花飞溅的图像放大，反之亦然。同样地，描述事物所花费的时间与它移动或变化的速度几乎没有关系。可能要花两周时间去画一个瞬间就结束的东西。事件的规模小或持续时间短也不意味着它不重要。特里斯坦·古利（Tristan Gooley）在他的《水的密码》（*How to Read Water*）一书中描述了波利尼西亚水手如何通过观察海面上错综复杂的波纹和波浪形态，在太平洋上进行远距离航行。它们告诉水手是否在向陆地或大型障碍物（如暗礁）靠近，这为他们提供了重要的线索，它们实际上构成了一种运动的流体图，水中的振动就像雷达声波一样，从附近的物体上反弹回来。

霍克尼：我刚开始读《水的密码》，这本书非常有趣，作者说："我们可以通过观察一个村庄的池塘了解世界上最大的海洋正在发生什么。"所以你可以像解读海洋一样解读水坑，波纹和水花的语言是一样的。此刻，我正在给我的雨中小水池画一幅大画。我想我要叫它“几朵**小**水花”。

*

霍克尼很清楚他在遵循某种传统。虽然一般来说，水（相对于海景）并不被当作一个单独的主题，不像肖像画或静物画，但它显然是许多画家的重要主题，无论是在东方还是西方。葛饰北斋是描绘海浪的大师，而歌川广重在表现雨景方面也是无与伦比的（凡·高从他那里得到了启示）。克劳德的特长之一就是将地中海的太阳在海面上升起或落下时所产生的令人眼花缭乱的效果表现得淋漓尽致；透纳、莫奈和西斯莱都对泛着涟漪的河水和小溪的倒影着迷。

莫奈在室内，以他的日式睡莲池为主题，画了一幅墙壁那么大的画。尺幅较小的画可以在室外完成，或者至少完成部分。

克劳德·莫奈，《睡莲池》，1917—1919 年

1815 年拍摄克劳德·莫奈在他位于吉维尼的花园里作画的电影剧照，
这部电影由萨沙·吉特里为他的纪录片项目《我们的土地》执导

1915 年，有一部精彩的短片讲述了他的这段经历。莫奈位于池塘边，他头顶的两把遮阳伞使他免受刺眼阳光的照射，还有一只小狗在旁陪着他。但是绘画，即使**在室外**，也绝不是简单地观察；这就是为什么塞尚是错的，据说他说："莫奈只是一只眼，但我的天哪，这是一只怎样的眼睛！"绘画一直是一种心理活动，尽管莫奈没有像塞尚那样分析他所见之物，但他还是在组织和改造他的所见。甚至当他的目光从池塘扫向画布的时候，记忆也会被牵扯进来。而当他大步走进工作室，描绘一些他看不到的东西时，显然更是如此。

霍克尼：我突然想到，我正在观察我的池塘，并在心里做着笔记，就像莫奈为他的大幅作品《睡莲》（*Nymphéas*）所做的那样。他一定是在吉维尼沿着池塘边走边看，可能抽了几根烟，然后回到了他的工作室。他在脑海中记下的那些视觉记忆可能会保持一个小时左右。我不记得莫奈画过雨中的睡莲池，不过下雨的时候，吉维尼的水上花园看起来一定很美。

让-雅克·卢梭（Jean-Jacques Rousseau）对观察水的运动也有同样的感受。他的《一个孤独的散步者的梦》（*Les Rêveries du promeneur solitaire*）一书写于 1776 至 1778 年间，当时这位日内瓦哲学家已接近生命的尽头。这是他在巴黎郊区漫步时脑海中出现的一系列未完成的想法。《第五次散步》的全部内容都是描写他在 1765 年秋天住在一个小岛上两个月的生活。这个叫圣皮埃尔（Île Saint-Pierre）的小岛位于瑞士的比尔湖（Bielersee）上。在那里，卢梭处于自愿封闭的状态：被限制在一个 800 米宽、几公里长的小区域内。后来，他将这段时期描述为“他一生中最快乐的时期”，因为他能够“剥离掉任何其他的情感”，与“存在的情绪”和谐共处。换句话说，他发现在岛上，他可以不知不觉地进入一种冥想的状态，摆脱了他头脑中通常充斥的焦虑和情绪波动。尤其是在某些晚上，他在湖边找到一个僻静的地方，就待在那里边看边听：

> 在那里，波涛声和汹涌的水声集中了我的思想，驱走了翻腾在我心中的烦恼，使我的心能够长时间地沉醉在美妙的梦境里，直到天已大黑，我还没有发现时间已到夜晚。波涛起伏，水声不停，不时还夹杂着一声轰鸣；这一切，不断传到我耳里，吸引着我的眼睛，时时唤醒我在沉思中停息了的内心的激动，使我无需思考，就能充分感到我的存在。
>
> [李平沤 / 译文]

当然，当霍克尼在观察他的池塘里溅起的水花时，他不可能处于一种梦幻般的恍惚状态。他全神贯注于他所看到的一切，并对其保持清晰的视觉记忆。但这个过程很可能清除了他脑海中通常充斥着的烦恼和杂念。在和我的几次谈话中，他提到了他从“只是观看”或从下着雨的“约克郡路上的一个小水坑”这样的场景中获得了“深深快乐”的例子。

霍克尼：我经常说我喜欢看下着雨的水坑，这会使我变得很开心。我**喜欢**雨。我一直创作和雨相关的画。1973 年，我在双子版画工作室（Gemini print studio）制作了一幅雨水使墨水流动的版画。

《雨》，选自“天气系列”，1973 年

他解释说，在他制作那幅版画的时候，“我喜欢雨落在墨水上的这个想法，它会让墨水流淌下来。我一想到这个想法就忍不住了。”这是“天气系列”（*The Weather Series*）的一部分，其他系列还包括“雪”“雾”和“太阳”（双子工作室的联合创始人西德尼·费尔森开玩笑说，他是在加州创作的，“因为洛杉矶毫无天气可言”）。霍克尼的《雨》（*Rain*）对他所使用的由水组成的媒介——墨水——和他主题的流体性质进行了一个视觉双关。但更重要的是，他还在印刷纸张和水面之间又做了另外一个类似的双关。这里有一条线索可以说明片片水面对画家的吸引力：它们与图画有一个重要的共同点。两者都有二维的表面，但同时也可以潜入下层看，从其后方看，甚或透过它看。

霍克尼：我看任何一幅画首先看的就是颜料本身，然后我才可能会看到一个人物或其他内容。但首先我看到的就是**表面**。

这正是他在居所旁边的池塘里观察到的：随着下雨而发散出有节奏的运动，水底则是一团静止、黑暗的液体。半个多世纪以来，这种几何与自然、平凡与深刻的对比一直吸引着他。

霍克尼：所以这就是我为什么创作了那些游泳池的画的原因，真的。让我感兴趣的并不是游泳池本身，而是水和透明。我意识到那些舞动的线条存在于水的表面，而不是下面。这就是你在池塘里看到的：表面**与**深度。

*

水不仅以涟漪和波浪的形式传播运动，也是一种影响光线的媒介，可以对光线进行折射和反射。这就是莫奈睡莲系列作品中的庞大主题，这个主题让他持续关注了 25 年有余。在他花园的池塘里，他可以画水，也可以画天空、植物、光亮与黑暗、映射出的树木与云朵：在某种程度上，整个世界都在那里。游泳池就是一面天然的镜子——在法国，公园里这种装饰性的人工水池被称为**“水镜”**（*miroir d'eau*）。因此，水的图画从属于一个更大的分类：对“透明”的再现。霍克尼总是将此描述为一个“好问题”和“绘画挑战”。像玻璃这样的透明物体既存在又不存在。你可以把它作为一个三维物体来关注，或者你也可以透过它观看世界，或者凝视它表面的反射。因此，它也具有一些与图画相同的特征。它既是事物本身，又是一种媒介，通过它你可以看到其他事物。

霍克尼发了一张正在创作中的作品的照片，其中包括雨中池塘的那幅画，马丁·坎普迅速用伦敦国家美术馆所藏的皮耶罗·德拉·弗朗西斯卡的《圣米迦勒》（*St Michael*）这幅木板画上的一个局部加以回复。他加了个说明，“在涟漪般的光影中”。 这是一个尖锐的比较，首先是因为皮耶罗和弗拉·安吉利科一直是霍克尼心仪的画家，其次是因为它从池塘上的雨滴，转向更普遍的艺术中的反射、透明和舞动的线条。这三个主题在大天使穿的装饰华丽的裙子上都能看到。每一颗宝石都像水滴一样反射出高光，但也是透明的，所以你可以看到里面。与此同时，圣米迦勒盔甲上青铜或皮革部分的装饰像连绵起伏的微波一样旋动和闪烁。

自然主义绘画的矛盾之处在于，正是这些闪烁的光芒，这些不断波动的反射，有助于创造立体现实的印象。事实上，每处高光都是周围世界的微小镜像（在尼德兰画家扬·凡·爱克等人的一些作品中，你可以看到工作室的窗户被珍珠和红宝石

皮耶罗·德拉·弗朗切斯卡,《圣米迦勒》(局部), 1469 年

映照出来）。任何透明的东西都会自动包含表面和深度，就像任何主题的绘画一样。所以霍克尼的“好问题”——如何画出你能看穿的东西——是一个深刻的问题。它与一个更大的难解之题有关，即什么是图画，我们在图画中看到了什么，为什么我们如此被图画所吸引。

霍克尼喜欢引用一段 17 世纪有关透明性的诗歌。

> 一个观看玻璃的人
> 他的眼睛可能停留于玻璃上；
> 或者，如果他愿意
> 穿过它，瞥见天堂。

霍克尼：我一直很**钟爱**乔治 · 赫伯特（George Herbert）的那首诗。我知道他的很多首诗，因为我发现那首诗的时候查了一下。这首诗**很**不错，因为你可以只看玻璃的**表面**。如果你盯着玻璃本身，你就无法透过它看别的，但是你的眼睛可以决定透过它去看。尤其是如果玻璃上有污垢，你可以看它一会儿，一旦你透过玻璃看，就看不到污垢了。我**喜欢**表现玻璃的画。

II

万物皆流

盖福德：看起来诺曼底天气不错。这儿的天气也好极了。

霍克尼：是的，天气特别棒。我正坐在池塘边。青蛙像疯了似的呱呱叫。这是它们交配的季节，所以它们成天到晚地聒噪着。

盖福德：我们刚去了沼泽地散步，现在那里似乎也到了布谷鸟交配的高峰期。在一条小路上，你可以听到至少半打雄布谷鸟在叫唤。

霍克尼：我们附近就有一只。这是它们必须要做的事，也是我们所有人都要做的事。

盖福德：你的意思是，这是自然世界中的网络约会……

霍克尼：[笑] 我画了一幅莫奈的池塘（the pond à la Monet）的画。此刻，我正在处理水面。从 3 月到现在，我每天至少都要画一幅画，通常是两幅，有时候差不多三幅。平均下来每天一幅多。我连在午后都不需要小憩，因为我从工作中获得了许多能量，**许许多多**的能量。我看到的每一处景色都**美极了**。

当你真的在画画时，就可以脱离自我，毕竟，这是大多数人认为自己所能做的最了不起的事。我认为确实是这样。有时当我在 iPad 上画画时，感觉就像是这样。我不在意要画多长时间，我完全意识不到现在是几点。我一直很喜欢这样。

一位出生在匈牙利的美国心理学家米哈里·契克森米哈

《第 331 号》，2020 年 5 月 17 日

（Mihaly Csikszentmihalyi）构想出了一套关于幸福的理论，这套理论准确地描述了霍克尼谈论的那种感受。契克森米哈把它称为“心流”。当人们体验到这种状态时，他写道：

> 注意力是如此高度集中，以至于没心思再去想任何不相干的事情，或是去担心别的问题。自我意识消失了，时间感也扭曲了。能够产生这种体验的活动是如此令人满足，以至于人们准备为了事情本身的原因而去做这件事，而不太在意他们能从中获得什么。

这描绘了那种真真正正地观看事物的感受，比如观看一幅画。霍克尼认为这样做可以减轻焦虑。“什么是压力？”他问道，“就是对未来某事的担忧。艺术则是**当下**。”而画一幅油画或是素描，尽管肯定不是没有困难或挫折的，却是一个能让他感到完全被吸引而且不断自给自足的过程。

2020年初，霍克尼在丹麦路易斯安那现代艺术博物馆（Louisiana Museum of Modern Art）接受了一个访谈。他所谈论的内容是很具有代表性的：

> 我**必须**画。我总是想要画；当我还是个小不点儿时，就总是想要作画。我认为制作图画是我的工作，而我已经持续做这件事情超过60年了。我仍然在画，而我现在认为画画仍然是有趣的。如果你观看世界，就会发现它非常非常美丽，但大部分人不怎么**专注地**观看，不是吗？而我是这样做的。

有一天他无意中对我说的话可以充当一句特别简洁的五言

自传："我总在工作（I' ve always been a worker）。"根据霍克尼经历改编的纪录片《一朵大水花》（*A Bigger Splash*）的导演杰克·哈赞（Jack Hazan）在 20 世纪 70 年代初曾经观察过霍克尼的生活。哈赞发现霍克尼"作为一名画家十分多产，这就是他想做的全部事情。如果你跟他聊天，几分钟后他就会走开，回到他的工作室，继续开始画画"。他描绘的也像是此时此刻的霍克尼，而现在距离那时已经差不多过去了半个世纪。

在《创世纪》中，当上帝将亚当和夏娃逐出伊甸园时，他迫使他们注定要做苦役作为惩罚。"你必汗流满面才得糊口，直到你归了土，因为你是从土而出的。你本是尘土，仍要归于尘土。"然而，看起来甚至在那之前，亚当和夏娃就应该去做必要的花园打理工作："耶和华神将那人安置在伊甸园，使他修理看守。"

即便在天堂里还是有很多事情要做。契克森米哈则更进一步指出，工作——或者至少是努力和专注——可能是让天堂变得令人愉悦的主要原因。以一种相似的态度，剧作家诺埃尔·考沃德（Noël Coward）开玩笑道："工作比娱乐更开心。"契克森米哈认为这是完全正确的，至少如果你找到了一项活动，能让你完全投身其中并带来无穷的挑战，那么，当你投入其中时，就能继续发展和成长，年复一年。这是一种能够与东方思维方式如道家和禅宗一拍即合的生活方式。有位日本的寿司师傅小野二郎（Jiro Ono），当我写下这段话时他已经 94 岁了，就是一个惊人的例子。制作寿司，把寿司做得越来越好，就是他一生的工作和唯一的志愿。他出身卑微，最后拥有了一家世界闻名的餐厅，并且，在大部分人退休的年龄之后数十年，他仍然在追求完美地准备和呈现生鱼片。他做关于寿司的梦，并且说他希望能够在制作寿司时离世。

我有一次对霍克尼引用了考沃德的名言，他用另一句俏皮话给予了反击，那是一句众人皆知的谚语，被阿尔弗雷德·希区柯克（Alfred Hitchcock）明显是开玩笑地改编成了："工作造就了聪明娃（All work made Jack）。"［这句众人皆知的谚语为："只工作，不玩耍，聪明孩子也变傻。"（All work and no play make Jack a dull boy.）——译者］这句改编的机智话中无疑也包含了一个真理，没有大量的努力就不会有成功。但也有一个陷阱。契克森米哈引用了一位奥地利精神病学家维克多·弗兰克尔（Viktor Frankl）的话："不要把成功当作目的——你越是把它当作目的，把它作为目标，你就越容易失去它。因为成功和幸福一样，是不能被求得的，而只能**继起**（*ensue*）。"这意味着，如果你做一些适合自己的事情，你热爱和擅长的事情，成功就有可能会（也可能不会）随之而来。但如果你这样做了，无论如何，你都在最重要的方面成功了。

显然，当霍克尼还是一个在布拉德福德整日整夜画画的少年时，他并没有期望这样做会带来财富和名声。在20世纪50年代早期的英国，没几个艺术家能仅靠作品谋生。他讲了几个故事，说起当他头一次发现人们愿意为他的画付钱时他有多么惊讶。2020年春天，科斯蒂·朗（Kirsty Lang）为《时代》周刊采访了霍克尼，霍克尼向其阐明了他对于一场无憾人生的个人理解："我可以坦白地说，60多年来，我每天做的都是我想做的事。没有几个人能这样说。我一直是个职业艺术家。我甚至也不怎么搞教学，只是每天涂涂画画。"

当然，对于其他很多人来说，这听起来并不是一种理想的生活方式，没几个人能够忍受没完没了地待在工作室里，更不要说还乐在其中了。但对霍克尼来说，这就是完美的日常生活。

霍克尼：确实，每天画画不是对谁来说都适合的，但这适合我。如果你这样做的话，你就生活在当下。画家可以长命百岁。他们要么就在年纪轻轻时死去，要么就能活到高龄，就像毕加索、马蒂斯、夏加尔，或是我的老友吉莲·艾尔斯（Gillian Ayres）那样。你知道为什么吗？因为当你画画时，你是如此投入，能够脱离自我。如果你能做到这点，就获得了额外的生命。我现在 82 岁了，感觉很好。我可能只是走路有点慢了。

我在报纸上读到，长寿专家们在说这说那。长寿**专家**？一个 45 岁的人有可能是长寿专家吗？至少他得有 80 岁吧？我会这样想。无论如何，我认为长寿是和谐人生的副产品。如何达成和谐的人生，每个人的做法都不同，但我认为长寿的人生中必有一些和谐之处：你找到了自己的节奏。

盖福德：绘画是一种可以随着年龄增长而提升的职业，可不是每种人类活动都是如此。

霍克尼：是的。对数学家来说，25 岁就是一个重要的年纪了。那是沃纳·海森堡（Werner Heisenberg）提出不确定性原理的年纪。海森堡习惯在山中散步然后思考问题，而爱因斯坦则是在有轨电车上想到了相对论。

盖福德：大部分生理技能和许多脑力技能在年轻时更容易获得。但在艺术方面却不是必然如此。有一个关于加泰罗尼亚大提琴家帕布罗·卡萨尔斯（Pablo Casals）的故事。当他年届八十时，有人问他为什么还要花那么长时间练琴。卡萨尔斯有点惊讶。他答道："因为我还想演奏得更好！"

有些画家一直在画，或许也是出于相同的态度。提香去世时快 90 岁了，乔凡尼·贝利尼（Giovanni Bellini）差不多活到 85 岁，莫奈 86 岁去世。他们都几乎工作到生命的最后

《第 181 号》，2020 年 4 月 10 日

一刻。

霍克尼：嗯，我想我也会的！［笑］毕加索就是这样。毕加索晚期的作品妙极了！年复一年，你留意到的事物也**越来越多**，我**现在**正是如此。我能够更密切地深入和观察事物，就拿花来说吧。我折下一根花枝，把它拿进屋里，画一幅静物画。它很快就会凋谢。我需要在 4 到 5 个小时内把它画完。当你把它带进室内并放在一张纸上时，它就开始枯萎。它的生命很短暂，但大部分事物都是如此。

葛饰北斋极大地达成了日语中所谓的**“生之意义”**（*ikigai*），一份天职，一种法国人所说的**“存在的意义”**（*raison d' être*）。北斋留存的言论让人想起了寿司师傅小野二郎，但北斋在漫长一生中所痴迷之事则是作画。

1834 年，74 岁的北斋为他的《富岳百景》绘本写下了一份自传性的手记。他回忆道，从六岁起，他就“有摹写事物形状之癖”。如霍克尼所言，北斋显然“是个神童，和毕加索一样”。然而，北斋谦逊地写道，直到他 70 岁之前，所画的作品都“微不足道”。到了 73 岁时，他才感到自己“稍微领悟到草木之萌生和禽兽虫鱼之骨骼”。他肯定是随着年齿渐增而不断进步的：

> 80 岁时，我希望自己能够有所进益，到 90 岁时，能够究极事物的奥义，这样，到 100 岁时，我在艺术上可达神妙之境，110 岁时，一点一画可栩栩如生。

这段话中带着些许自嘲，北斋采用的一系列署名也是如此。1801 年，当他刚 41 岁时，他开始自署为“画狂人”，之后又改署“画狂老人”。1834 年，他最爱用的落款是“画狂老人 卍笔”。北斋最广为人知的作品都创作于 70 岁之后，许多都带有这个署款。

跟霍克尼一样，北斋也痴迷于画水，而他也因画水而著称。他最有名的作品之一就是描绘海浪的《神奈川冲浪里》。不过，和北斋的海图同样令人难忘的，是他的《诸国瀑布揽胜》系列。这批作品完成于 1832 年前后，当时画家刚过 70 岁。画中的流水总是栩栩如生——像是树根、血管或神经。对于一个每时每刻都在变换又始终如一的主题：一道著名的喷泉，譬如日光市一带山中的雾降瀑布，这些描绘令人惊叹。

霍克尼：**万物**皆流。这是绘画为什么如此有趣的原因之一，而摄影正好相反。我喜欢塞尚的那句话：“你必须一直画下去，因为它一直都在变。”嗯，确实如此，因为**我们**一直都在变化。这是永恒的变迁。

霍克尼这样说并不是在模仿契克森米哈，而是在回应古希腊思想家——以弗所的赫拉克利特（Heraclitus of Ephesus），他活跃于公元前 500 年左右。他的卓见之一可以总结为一句话：“万物皆流。”

同样的理念也被不同时期不同文明的人所思及。这也是佛教和印度教教义中无常学说的精髓。在日语里，将普遍存在的转瞬即逝称为“mujo”（无常）。这是鸭长明《方丈记》的主题，我最近读到这本书时深受震撼，因为这是一部关于隔绝状态的绝佳文本。

这是本小书，讲的是住在一个狭小的、受限制的区域里，不能有太多的活动，被自然世界所包围。鸭长明描述的这种生

葛饰北斋,《下野黑发山雾降之瀑》,约 1832 年

活方式有点像与霍克尼、J-P 和乔纳森一起住在“大花园”里的感觉，尽管远没有那么奢侈。鸭长明叙述道，当他年届六十之时，他决定为自己建一座林中小屋，面积不过一丈见方，以度余生。在那里，他远离喧嚣的大都市，精力旺盛时便工作，疲惫时便休憩。

对于他正在做和热爱做之事，霍克尼更像是北斋。鸭长明整日冥想，霍克尼则总是忙于作画。当然，绘画囊括了思想、感受和态度，也包含冥想。

绘画也能铭刻光阴，就像霍克尼常说的那样，拍张照片只需要不到一秒，而画一幅耗费精力的油画或是一堵湿壁画则需要数日、数月乃至数年的时间。北斋还有个别号叫“为一”，这是他 60 岁时所取，意思是“重归于一”，表示他重新进入了一个新的循环，也就重新变成了学步的孩童，但同时也意味着他与创造合而为一。像我们看到的那样，万事万物，一切的一切，都可以入画——这本身就是一个了不起的、发人深省的想法。鸭长明的著作开头的一句话与赫拉克利特的名言“人不能两次跨进同一条河流”颇为相近：

> 浩浩流水，奔流不绝，但所流已非原先之水。河面淤塞处泛浮泡沫，此消彼起，骤现骤灭，从未久滞长存。世上之人与居所，皆如是。
>
> [王新禧 / 译文]

霍克尼：但是，凡·高画里的一切也都在运动，不是吗？你只需要保持静止，然后观看他的画作。我想我的画中也存在着时间。它们一直在流动，一直如此，正如自然总是在流动一样。

工作时，莫奈曾抱怨“万事万物都在变化，甚至连石头都是如此”。当然，他是对的。如果有一部非常缓慢的延时电影，拍摄了跨越几百万年的时间，那么甚至连阿尔卑斯山都会如月盈亏，或是像樱桃树上的花朵那样开放又凋谢。但莫奈所想的很可能不是这种非常缓慢的侵蚀过程，而是北部海洋地区那种变幻不定的面貌，比如诺曼底。站在他的一排油画前，看着一天中不同光线变化下的鲁昂大教堂，就像在看一部电影，其中拍摄了从黎明到黄昏不断变幻的光线和空气，却又比任何影像都要微妙得多。

莫奈实际上在画的是逐渐消失的、流逝的时间。要观察到这一点，并不需要仔细端详那座哥特式建筑的丰碑。你也不需要仔细端详那排白杨树，这种法国风景中的主要树种，抑或是干草垛——莫奈所画的第一套组画的主题，它们在吉维尼附近的田野里肯定到处都是。

数年之后，关于这一组画作是如何构想出来的，莫奈对他的访客之一，特雷维斯公爵（the Duc de Trevise），给出了一个故作随意的说明：

> 我相信再有两块画布就够了，一块画阴天，一块画晴天！当时，我在画一些让我激动的干草垛，它们构成了一组出色的画作，离全部完成只差两步了。有一天，我看到面前的光照改变了。我对我的继女说：“到屋里去，如果你不介意的话，帮我再拿一块画布来。”她帮我拿来了画布，但在短短的时间里光线又变得不同了。“再拿一块！”然后当我要的哪种效果出现时，我就画哪幅，就是这样。

克劳德·莫奈，《干草垛》，1891 年

在现实中，画下干草垛更像是一场搏斗，就像是莫奈当时的话所透露的那样："我无比努力地工作，与一系列不同的效果做斗争（干草垛），但太阳落得太快了，我追不上它。"试图捕捉流逝的时光时，甚至当时间作用于一些相对坚固和世俗的事物，比如一块雕刻过的石头或是干草垛时，莫奈都努力去达到赫拉克利特认为不可能之事：他试图不止一次地走进同一时刻。但每个瞬间都是不同的，严格来说，没有一个瞬间能够重现。因此，莫奈感到，他是在用自己的整个存在"极力去表现"自己"面对最难捕捉的效果"时的印象。这很令人挫败。莫奈从未完全满意，有时他很沮丧。1912 年，当他达到自己名声的高峰，也是他超过 70 岁时，他写信给自己的画商，悲伤地说："我预料得到你会说我的画作是完美的。我知道当它们展出时，它们将会得到极大的赞赏，但我不在乎，因为我知道它们很差。"就像霍克尼有一次对我说过的："绘画有它自己的挣扎。"

霍克尼：当你在户外工作时，会意识到变化**每时每刻**都在发生——每时每刻。你会看到云朵移动得有多快。这就是塞尚更喜欢阴天的缘故——他曾经说过——因为阳光不会有这么多的变化。

莫奈作画时，会把风景中所有的色调都描绘出来——他不得不这样做。但在 iPad 上，我能够非常快地捕捉光线。我认为这是我能找到的最迅速的媒介，比水彩要快得多。凡·高有一幅油画，画的是几棵树。一次，一位女士对我说："唔，他把阴影画错了。"我指出，不，他没有，他应该是用了一到两个小时来画这幅画，而随着时间的变化，影子应该是移动了。因此她认为是错误的地方，实际上是**正确的**——不过是最后那个时段阴影的样子罢了。这位女士认为绘画跟照片是一样的，其中的所有事物都处于同一时刻。

一幅素描或油画之中可能包含着数小时、数日、数周，甚至是数年的时间。画一幅油画，我可能要花上两三天，但用 iPad 的话，差不多一次就可以画完了（不过有时候我第二天还会再加几笔）。约莫四天前，我就在这儿画过其中的一小块花坛。我经常给自己规定完成期限。因为当我在 iPad 上画画时，我会这样想："我最好在一天之内搞定。"

《第186号》，2020年4月11日

《第 580 号》，2020 年 10 月 28 日

12

波纹线与音乐空间

霍克尼：我到现在为止只画了两幅河流。但我喜爱流动的水，它就像那样流动着［他指点着］。这些小小的涟漪和漩涡多漂亮。

盖福德：这是莱奥纳尔多·达·芬奇的主题。

霍克尼：嗯，这现在是**我的**主题了。我准备再画上几张。我们之前在几个地点放了几把椅子和一张桌子。第二天，当我们坐在河边时，J-P 问我是否能听到水流声，但我听不到。然后我们就转移到了另一个地方，那里有一道小小的堤坝，我能听到水的声音了——然后我就画了它。

对于霍克尼而言，音乐和其他的声音与围绕我们的视觉世界密切关联。他很久以前就指出，自己的失聪与一种逐渐增长的空间敏感性有关："我的耳朵越聋，我就越能清晰地看到空间。"这让他猜想，对于其他艺术家来说，可能也存在着一种类似的感官间的相互关系。然而，对于他的英雄毕加索而言，他思索着这种联系是否相反。

霍克尼：毕加索唯独对一种艺术没有兴趣，那就是音乐。我怀疑他是否是个音痴。或许他听不到所有的音调，但他肯定能**看到**它们，因为对我而言，他对于对比法——光与影——的把握无与伦比。

霍克尼自身的失聪是在 1979 年诊断出来的，自那时起他就

《手绘地板、花园及法式笔痕》，出自歌剧《童子与魔法》舞美设计，1979 年

开始佩戴助听器。而在他的艺术生涯中，这一时期恰逢对空间的重新阐释，与此同时，他投身于更为自由、更加动势化的油画与素描之中，他的色彩变得更为大胆和强烈。20 世纪 80 年代，霍克尼在纽约的两次强烈体验催化了所有这些新变化：在现代艺术博物馆（MOMA）看到纪念毕加索的回顾展，以及为大都会博物馆设计了他的第一台法式三联剧。这是为了那个项目里的三出短剧之一设计的，是莫里斯·拉威尔的《童子与魔法》，霍克尼在纸上画了一些带有笔触感的画——“让自己的胳膊灵动起来”，他这样形容道——称其为“法式笔痕”。当他画这批画时，他知道最终的幕布和布景将面对一位倾听拉威尔音乐的听众，他敏锐地意识到了乐曲的各方各面，包括拍子和节奏：

霍克尼：这是一首**绝妙的**乐曲，全长只有 45 分钟。当詹姆斯·莱文

（James Levine）重新指挥这出歌剧时，他让曲子持续了 55 分钟！我认为这让曲子变得太慢了。在一出瓦格纳的歌剧中，长个十几二十分钟都不是问题，当整个曲目有 4 个半小时的时长时，你不太会注意到它。但在一部时长只有三刻钟的歌剧里，如果你延长 10 分钟，那就延长得很多了。

正如他常说的那样，每根线条都有特定的速度，当你凝视它时就会看到这一点。在“大花园”草坪下方小溪那里画的最新几幅作品也充满了法式笔痕，用马蒂斯、毕加索和杜菲的方式留下的绘画笔法。每一条松散的波纹曲线都有自己的方向和动力。而滔滔不绝、汩汩涌流的声音也在那里，不能被听见，但被清晰地唤起了。同样的声音当然也是贝多芬第六交响曲《田园》第二乐章的主题，作曲家将其命名为“溪边景色”（*Szene*

《第 540 号》，2020 年 10 月 9 日

am Bach）。在乐谱上，两把大提琴担任了潺湲溪流的角色，余下的几把大提琴和低音提琴则进行拨奏。随后，一把长笛扮演一只夜莺，木管乐器则分别扮演一只杜鹃和一只鹌鹑。在乐音中蕴藏着一幅风景画，即霍克尼画作的声音对应物，是一幅带有流动韵律的田园画。

21 世纪之初，当霍克尼在东约克郡开车兜风时，有时会在他的有 18 个扬声器的车载音响上听贝多芬。他认为那是他最后一个能完全听到音乐的地方。他记得从沃德盖特驱车前往海湾途中，一路听着的是格伦・古尔德（Glenn Gould）演奏的李斯特改编版第五交响曲。贝多芬依然是霍克尼的英雄，部分是因为霍克尼对“浪漫主义概念，浪漫主义音乐，和去观看新事物”的深深热爱。他被马克斯・克林格（Max Klinger）在莱比锡制作的荒诞的新艺术纪念碑所震撼，将其清晰地描绘下来，其中，作曲家贝多芬如同古典时代的神明一般赤身裸体，旁边伴着一个基督教圣徒模样的小天使。

2020 年，霍克尼用 iPad 为这位伟大的音乐家诞辰 250 周年绘制了一幅肖像（结果这一年，带着令人伤感的反讽，是现场演出在全球范围内都几乎不可能举办的一年）。这幅画中完全用法式笔痕来描绘贝多芬，这次更接近于点彩派画家乔治・修拉（Georges Seurat）和保罗・西涅克（Paul Signac）：一种绚烂多彩的艺术氛围，带有紫色、绿色的旋转、搏动的色点。

霍克尼对音乐的探索或多或少与他作为一名素描家和油画家所受的训练相重合。他青少年时代的最后阶段是在布拉德福德度过的，每个白天和大部分的晚上都在画个不停，而他剩下的一点自由时间则花在了听演出上，即便是在英国北部省份，那段时间的演出明显都有很高的质量和令人惊讶的多样化。

霍克尼：我从 15 岁起就开始听交响音乐会。最早是在学校里听的，然后就是读美术学校时，我们经常去卖票，然后坐在乐队席后方。我知道约翰·巴比罗利（John Barbirolli）和乔治·韦尔登（George Weldon），因为我看过他们的指挥。从 15 岁到 20 岁的五年里，我接受了非常好的音乐教育。我听遍了 19 世纪最伟大的音乐作品。巴比罗利经常指挥马勒的作品，当时马勒还不那么流行。曼彻斯特的哈雷管弦乐团（Hallé Orchestra）也在布拉德福德演出。我过去常在周五和周六晚上去听他们的音乐会。每个圣诞节，布拉德福德老合唱团（Bradford Old Choral Society）、新合唱团（Bradford New Choral Society）和其他的合唱团会共同表演大约八场亨德尔的《弥赛亚》（*Messiah*）。当时还有哈德斯菲尔德合唱团（Huddersfield Choral Society），这可是一个很大的合唱团。在利兹我也去听音乐会，因为你可以只花六便士坐在乐队席后方。维也纳爱乐乐团（Vienna Philharmonic）也在那儿演出过一次。他们说自己可从没为只付了这么点儿钱的听众表演过。约克郡交响乐团（Yorkshire Symphony Orchestra）也曾在利兹市音乐厅（Leeds Town Hall）演出，指挥是诺曼·德尔·马尔（Norman Del Mar），直到他于 1955 年解散乐团为止。因此我听了许多音乐。

对霍克尼来说，和贝多芬同为其偶像，或许甚至更让他崇拜的，则是理查德·瓦格纳（Richard Wagner）。20 世纪 80 年代晚期，霍克尼花了一段漫长的时间沉浸在《特里斯坦与伊索尔德》（*Tristan und Isolde*）的声景（Soundscape）之中，当时他正为那部歌剧的一场演出设计舞美。这是一项非常复杂的工作，包括要将音乐、戏剧与空间、色彩、光效结合起来，并

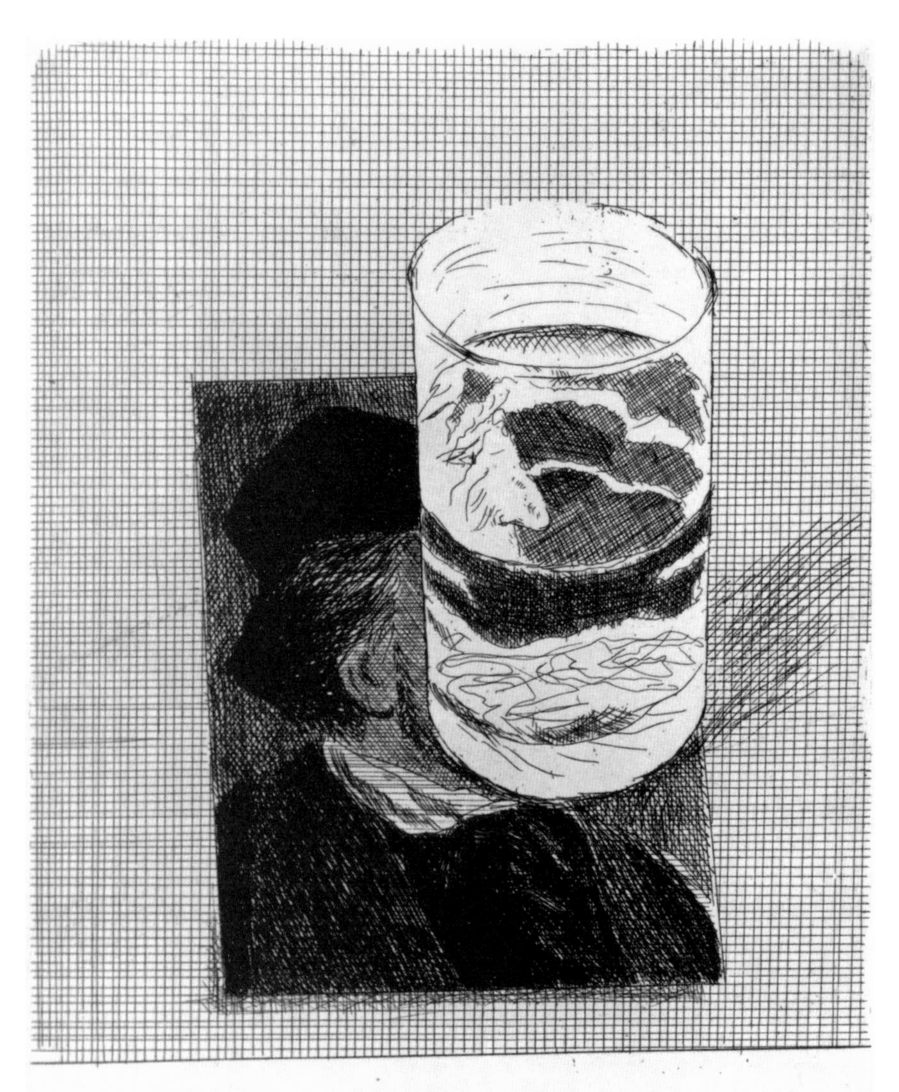

《理查德·瓦格纳的明信片与一杯水》，1973 年

找到与和声和管弦乐队的结构相对应的视觉和空间效果。或许可以说这是一场对多感官体验进行转译的练习。

霍克尼：我营造了非常复杂的空间，其中有四到五个灭点。所有瓦格纳寻求的效果都在那里了。他需要一座森林，我便造了一座。我想要在三维空间中工作的渴望，在剧场和使用空间的工作中得到了满足。那是在以我的方式制作雕塑。

霍克尼喜欢引用《帕西法尔》(*Parsifal*)剧本中的一句台词，“时空为一体”(Time and space are one)，并指出这句话比爱因斯坦构想出相对论还要早几十年。他热爱所有瓦格纳的作品。为一整套《尼伯龙根的指环》的演出做舞美设计是他未曾实现的野心。但或许《特里斯坦与伊索尔德》，这部在瓦格纳所有歌剧中最为谵妄、最令人陶醉的浪漫之作，是霍克尼的最爱。

霍克尼：我将会去看所有《特里斯坦与伊索尔德》的演出，尽管我已经看过的许多真的都很差。我正在读亚历克斯·罗斯(Alex Ross)的《瓦格纳主义》(*Wagnerism*)。这本书真不赖。瓦格纳影响了绘画、诗歌和一切的一切。[罗斯将瓦格纳描述为“现代艺术的一位教父，他的姓名以不同方式被波德莱尔、马拉美、保罗·魏尔伦、保罗·塞尚、保罗·高更和文森特·凡·高援引。]

盖福德：事实上，你自己也或多或少是个瓦格纳主义者。

霍克尼：嗯，罗斯的这本书里也提到了我和我过去在圣莫妮卡山脉的瓦格纳之旅。

当霍克尼于1988年买下马里布的海滨别墅之后，就有了驱车穿越好莱坞山的歌剧之旅的念头，好让远处的风景与车载扬声器所播放的瓦格纳的音乐融为一体。令人失望的是，我从未成为这些音乐之旅中的一名乘客。当我在洛杉矶拜访霍克尼时，他极少离开家、花园和工作室。大卫·谢夫（David Sheff），一位来自《滚石》杂志的幸运采访者，描述了他在1990年的经历。他受霍克尼之邀，坐上了霍克尼当时那辆有12个扬声器的红色梅赛德斯敞篷车。他描述了音乐是如何与梅赛德斯汽车一道盘旋上升，隧道里的光线则与瓦格纳“断奏的爆破”（staccato blasts）同步。当音乐到达渐强时，汽车也登上了山顶，当它转过一个拐弯时，恰到好处地出现了带有野兽派色彩的壮丽终章："太阳出现了——一个火球，灼烧着绿色的大海。粉色的云朵分散开来——呸——滑过了世界的尽头。”或者就像霍克尼描述的那样，你听到了“西格弗里的葬礼音乐中伟大的渐强，接着你转了一个弯，当乐声升高时，你将会看到突然出现的落日”。显然，他在**导演**着这一出探险。这场发生在真实时间和真实世界中的事件，是与他的歌剧设计所创造出的体验相平行的：将音乐与一次视觉和空间体验相配。他将风景、坐在车中的听众的运动以及音乐协调起来。和那些他批评过的指挥家不同，他将时机和速度把握得再好不过。

霍克尼否认自己拥有联觉，这是各种感官之间的相互交感，有的人能够通过联觉同时感知到视觉和听觉，因此，例如爵士钢琴家玛蕊安·麦克帕特兰德（Marian McPartland）会这样说："D调是水仙的黄色！”不过无论如何，霍克尼出奇地习惯于能将声音、空间、色彩和线条融为一体的方式。

霍克尼：圣莫妮卡山的驾车之旅有一个半小时那么长。我记得我开车载过一些孩子，他们是这样说的："哦，这条路像一部电影！”他们意识到了风景和音乐融为一体，但他们可能从未在音乐厅里听过诸如《帕西法尔》的序曲这样的音乐。不过，在车行之时，它美妙极了。

盖福德：当然了，许多电影配乐都出自歌剧。镜头可能是约翰·韦恩（John Wayne）骑马穿过西部荒野，但音乐却直接来自欧洲。

霍克尼：对。当迪米特里·迪奥姆金（Dimitri Tiomkin）——他为许多西部片写了配乐，包括《红河》（*Red River*）、《正午迷情》（*High Noon*）和《龙湖双侠》（*Gunfight at the O.K. Corral*）——因为一部他配乐的电影而获得奥斯卡奖时，他在致辞时说："我要感谢瓦格纳、普契尼、威尔第、柴可夫斯基和里姆斯基-柯萨科夫。"普罗科菲耶夫写过电影配乐，它们也棒极了。

盖福德：但是，当然，录制音乐——尽管它也能带给我们愉悦——和身处现场听可大不相同。

霍克尼：哦，**是的，是的**。我现在也通过电子设备听音乐。因为我的耳聋，我只能这样做，因此我不能像通过电子设备听音乐那样频繁地去听音乐会。关于音乐会最了不起的事，我之前思考过，就是它不是电子的。你可以用一种不同的方式去聆听。那是我探索音乐的方式。

盖福德：现场演出与身体有关联，就像是你站在一幅画或一件雕塑前那样。如果有人在你面前拉小提琴，因为他们的动作，空气就在你们身处的同一个空间中振动。在你的汽车之旅中，在电影中，或观看舞台剧时，我们不只是**用音乐的方式**去观看，也能**倾听**空间。

霍克尼：如果思考一下，录制的音响就是产生在另一个地方的音响——而不是你当前所处的空间。你在另一个房间里倾听它。这肯定会产生一种**距离感**。

13
翻译得失

霍克尼： 我现在经常读书。我总是有大堆的书。它们就摞在这儿：关于树的书，朱利安·巴恩斯（Julian Barnes）的新书《红衣男子》（*The Man in the Red Coat*）。还有个年轻人给了我一本关于真菌的书，他说它们更接近于动物而不是植物。我想，这会让素食主义者发疯的！

如果你随着年纪增长重读一些小说，它们会发生变化，因为你的观点发生了微妙的变化。我正在第三次阅读福楼拜的《情感教育》（*Sentimental Education*）。这本书讲的是一个年轻人和他爱慕的一位年长女士阿尔努夫人的故事。我上次读这本书还是在做“纸泳池”（paper pools）系列的时候，所以大概是 1978 年；而我初次阅读此书则又是在此十年前了。当然，阿尔努夫人当时对我来说似乎太老了，我那时差不多才 13 岁。但重读这本书时，我意识到她可比现在的我年轻多了。

《情感教育》中的大部分故事都发生在诺曼底，这也是我重读它的原因。福楼拜人生中几乎全部的光阴都是在鲁昂及其周边度过的。他的小说《一颗简单的心》（*A Simple Heart*）就发生在主教桥（Pont-l' Évêque），离这儿非常近。那是个很可爱的故事。（以下《一颗简单的心》中的译名和译文均参照了李健吾先生的译本——译者）在 20 世纪 70 年代早期，我曾经为这个故事画过几幅画。有段时间，我想着要给它画一套插图，但一直没有完成。不过我确实做了几幅小的蚀刻版画，其中之一就是故事的主角全福（Félicité）和她的鹦鹉一起睡觉。在这个故事里，全福只看过一本书，这是一本带有插图的地理书，其中画着一头中了标枪的鲸鱼和抢走一位小姐的猴子。她认为那**就是**

《睡着的全福及鹦鹉：为古斯塔夫·福楼拜〈一颗简单的心〉所作的插图》，1974 年

《今天的母亲；作为古斯塔夫·福楼拜〈一颗简单的心〉中全福的一幅小像》，1974 年

> 外国的样子，而所有的异国之地都会是那样的。除此之外，她见过的只有一张带有圣灵的耶稣受洗的版画，以及本地教堂中的彩色玻璃。我在想，如果这些就是她见过的全部图画，它们在她的脑海中必定真的**印象深刻**，难道不是吗？她将一直记得这些图画。因此在某种程度上，福楼拜的故事是非常视觉化的：它是关于图画的。
>
> 打从头起，我就把我母亲作为模特来画一幅全福的小像。那是在 1974 年，当时她已经快 70 岁了，而我还不到 40 岁。在故事的高潮，全福差不多有 70 岁，因此我认为我母亲会是个很好的模特。

换句话说，霍克尼为福楼拜小说中的主角制作了两幅版画。第一幅明确地是一幅肖像画，题目叫《今天的母亲；作为古斯塔夫·福楼拜〈一颗简单的心〉中全福的一幅小像》（*My Mother Today; as a Study for Félicité in 'A Simple Heart' of Gustave Flaubert*）。然而，这幅画更是一类特殊的肖像画：画中描绘了一个真实的人物，她被有意当成一个故事人物的画像的雏形来处理（并且这幅画的题目有一种对于时光流逝的特殊认知："今天的母亲"，而不是昨天的母亲，也不是下周的母亲）。随后，霍克尼制作了一件更为复杂和精彩的作品，《睡着的全福及鹦鹉：为古斯塔夫·福楼拜〈一颗简单的心〉所作的插图》（*Félicité Sleeping, with Parrot: Illustration for 'A Simple Heart' of Gustave Flaubert*）。这幅画部分运用了蚀刻线条（全福的脸和手），部分以飞尘法蚀刻为深灰色（女仆的服装），部分使用了鲜艳的颜色（鹦鹉）。这不再是一幅肖像画，但看上去仍然像是霍克尼的母亲劳拉·霍克尼。你可以说她现在"进入了角色"，就像舞台上的演员那样。画面只有部分色彩，做法类似于有些导演在一部电影中混用黑白和全彩镜头。比方说安德烈·塔可夫斯基（Andrei Tarkovsky），他在《安德烈·鲁勃廖夫》（*Andrei Rublev*）中就运用了这种手法。在这部电影中，俄罗斯15世纪的生活场景完全用黑白胶片拍摄，直到电影快要结束时银幕上才出现彩色画面，连续地展示了鲁勃廖夫的艺术创作：他的画。

全福的生活是孤独和受限制的。她忠心耿耿、天真且善良，但她周围的人不是死去就是抛下了她。在她安静生活中的慰藉是一只宠物鹦鹉球球，是别人偶然转送给她的。鹦鹉死后，她把这只鸟做成了标本，并把它放在她卧室里的架子上。在她的世界中生动的一切——所有的希望、爱和幸福——都集中在这只鹦鹉身上。她长久地混淆了她的宠物与圣灵，尤其是当圣灵在一幅基督受洗的流行版画中被画成"绯红翅膀和绿玉似的身子，活脱脱就是球球的写照"（这恰好说明了霍克尼的意图：尤其是在那些没看过几幅画的人心中，一幅图像具有神奇的力量）。当全福呼她的最后一口气时，她产生了一个幻觉，"她认为自己看见了，在天空分开的地方，一只巨大的鹦鹉在她的头上飞翔"。通过这样一句话，诙谐，怪异，温柔，动人，这个故事结束了。

霍克尼：几年后我的画就用在了朱利安·巴恩斯《福楼拜的鹦鹉》（*Flaubert' s Parrot*）一书的封面上。

因此这里出现了另一个转折。巴恩斯的小说对真实和虚构之间的灰色地带进行了一次出奇微妙而又矛盾的探索，其中心（虚构）人物试图在福楼拜的人生和他的小说之间建立关系。特别是他试图找到福楼拜撰写《一颗简单的心》时，放在这位伟大人物书桌上的那只鹦鹉标本。但那只被19世纪标本剥制术制成的标本，和它与故事中的球球之间的关联一样无迹可寻——事实上，同样无迹可寻的还有劳拉·霍克尼和另一个女人之间的关联，后者出现在小说封面上，长着跟劳拉一样的下颏和嘴巴，但现在代表的是另一虚构的个体。

霍克尼：让我不再继续画那批插图的原因，是我读到了福楼拜彻头彻尾地**痛恨**插图者。

不难猜测福楼拜为何反对自己的作品中出现插图。如同霍克尼指出的那样，他实际上是一个高度视觉化的作家，他无疑想要用自己的词语在读者的想象中创造画面。霍克尼的蚀刻版画精确地追摹了对球球的描述："它的身子是绿颜色，翅膀的尖尖是玫瑰红，蓝额头，金脖子。"但版画将福楼拜文本的精髓翻译成了一种完全不同的词汇：线条、形状、调子和色彩。

*

早在我认识霍克尼之前，他就说过一句发人深省的话："不存在什么复制品，真的。每种事物都是对另一种事物的翻译。"我们通常认为翻译发生在一种语言和另一种语言之间。但是存在许多种翻译或转换的方式。在同一种视觉媒介之间的转换——例如，从素描到油画，或是从石版画到蚀刻版画——就是翻译的一种。这些媒介中的每一种，正如霍克尼指出的，都有着不同的可能性与局限性。你不可能在木刻版画中做与尘蚀铜版画同样的事情。霍克尼自己喜欢玩遍所有这些变化，从 iPad 到架上绘画，从纸本小画到布面大画。有时候，就像是为睡莲池所作的素描和油画那样，他用不同的媒介制作相同或相似图像的不同版本。

为舞台或电影改编一个文字故事，让真实的演员扮演书中的角色，也是一种翻译。将一个故事改编为歌剧或芭蕾舞，让情节和情感以声音和律动表现出来，还是一种翻译。你可以想象《一颗简单的心》制作成一部电影或是一部音乐剧，当然，那样它就变成另一回事了，福楼拜可能不会赞成这么做。歌剧的版本当然不会和原书一模一样，但它有它自己的优点。如今，人们更愿意去听葛塔诺·多尼采蒂（Gaetano Donizetti）1835年创作的魅力十足的美声杰作《拉美莫尔的露琪亚》（*Lucia di Lammermoor*），却不愿去阅读沃尔特·司各特（Walter Scott）1819年创作的历史小说《拉美莫尔的新娘》（*The Bride of Lammermoor*），它正是这部歌剧的原型（尽管这部小说很可能仍然有着它的仰慕者）。

霍克尼：前几天，我读了汉斯·克里斯汀·安徒生（Hans Christian Andersen）的童话《一滴水》（*The Drop of Water*）。它讲的是一位叫克里布勒·克拉布勒的老魔法师放大了水坑里的一滴水，并用一滴红酒把它染成了粉色，因此水中所有的小细菌和微生物看上去都像是人的模样。

这是那种容易吸引霍克尼的寓言，因为霍克尼毕生都痴迷于色彩、透明度和水，还特别喜欢水坑。故事的寓意在于，这个小世界就是那个更大的人类世界的缩影。克里布勒·克拉布勒把他染色的水滴展示给另一个魔法师看，并问他这是什么。“问这个做什么？这很容易就可以看得出来，”他回答道，“这就是巴黎，或者其他什么大城市，因为它们都是一模一样的。这就是一座大城市！”“这是水坑里的一滴水！”克里布勒·克拉布勒说。

《〈夜莺〉中的皇帝与廷臣》，1981 年

霍克尼还很喜欢安徒生的另一个童话——《夜莺》，这是斯特拉文斯基短歌剧《夜莺》(*Le Rossignol*) 的蓝本。1981 年，霍克尼为这部歌剧设计了舞台布景和服装，当时这是纽约大都会歌剧院上映的第二台三联剧的一部分。这部童话的情节令人想起《一颗简单的心》，其中也有一只美轮美奂但没有生命的鸟儿。

为大都会的演出做完舞台设计之后，霍克尼出版了一本小书，在书中他用自己的语言重新讲述了《夜莺》的故事，还附有他的一些舞美设计图。他对图像及记述的处理，就是将其清晰化和简单化。这些舞台设计作于他完全意识到"法式笔痕"之美时，因此它们带有马蒂斯和毕加索的味道（非常合适，因为斯特拉文斯基的歌剧始于 1914 年，那是立体主义和野兽派的高峰时代）。在霍克尼版本的故事中，原版的绚丽多彩被削弱了，而具有了一种非正式的当代魅力：

> 中国皇帝住在一座瓷宫里。这座宫殿到处都美轮美奂。园中的花朵散发着几不可闻的香气，所以有小小的铃铛挂在花上，以免人们注意不到它们。所有来到这个国度的旅行者都写下了关于宫殿是如何之美的篇章。而诗人则认为所有事物中最美的，就是在海岸边歌唱的夜莺。

皇帝下令去寻找这只奇妙的鸟儿，"但只有在厨房里洗盘子的那个小女孩才知道这只鸟在哪里"。最终廷臣寻获了鸟儿，但是，霍克尼讲述道："当他们发现它只是树上的一只平平无奇的小鸟时，感到有点失望"：

> 正当这时，三位来自日本的大使到访，并带来了一

> 件礼物——一只机械夜莺。它不是索尼或松下牌的，而是老式的机械玩具。他们打开盒子，拧上发条，每个人都惊喜万分。它开始歌唱了。每个人都认为它可爱极了，但实际上，比起真正的那只夜莺，它又浮夸又难看。但他们喜欢它，当然，当它上好发条时，总是老调重唱。

它就这样一直唱到发条松了，不能再拧紧。而当皇帝生了病，死神要来带走他时，只有那只真正的、小小的棕色鸟儿的歌才把死神引走了。因此，第二天早上，“所有的廷臣，正准备在黑屋子里给他们的皇上送终的时候，都吓了一跳，因为当他们进入皇帝的房间，却发现皇帝坐在他的床上，高高兴兴地迎接他们。房间里光明灿烂，每个人都惊叹不已”。这最后的润色，从黑暗向光明的转换，不是安徒生式的，也不是斯特拉文斯基式的。这完全是视觉化的：这件文学作品本已被变换为带有和声、节奏和旋律的音乐风格，又被霍克尼转化为观众能够观看和迅速理解的戏剧语汇。

《夜莺》并不是霍克尼与童话故事的第一次充满想象力的邂逅。十多年前，在 1969 年，他就制作了一本很精彩的书：《格林童话六则》(*Six Fairy Tales from the Brothers Grimm*)。他指出，这本书与他的一幅主要作品同等重要，并需要投入几乎同样多的时间和精力。在一开头，他阅读了整部《格林童话》，一共有 350 篇。几年后，他解释了自己为何会对这部历史悠久的欧洲北方故事集感兴趣：“这些小故事非常迷人，用一种非常非常简单直接的语言和文风讲述出来：是这种单纯吸引了我。它们涵盖了一系列很奇怪的经验，从魔法到伦理。”他最终选择了六则故事来绘制插图，部分是因为视觉原因，尽管有些任性，因为或许是将一段情节转化为线条和笔触的难度吸引了他：“我对

《玻璃山，出自〈格林童话六则〉插图》，1969 年

故事的选择偶尔受到了我可能描绘它们的方式的影响。举个例子，我选了《老汉伦克朗》(*Old Rinkrank*)，是因为故事以这样一句话开头：‘有个国王造了一座玻璃山。’我喜欢怎么去画一座玻璃山这个想法。这多少是个绘画上的问题。”这里给吸引他的那些特质提供了一个线索，而这些吸引他的特质又转而吸引了许多人喜欢他的作品：对深思熟虑和直截了当的无缝衔接。他现在正在画的作品也是如此。

霍克尼：我刚读完了杰基·伍施拉格（Jackie Wullschlager）的安徒生传。写得真好。我一直都很喜欢安徒生的童话，但对他的生平了解不多。显然，他母亲根本不读书。他生于 1805 年。而在 1805 年，我的先祖们还在林肯郡和东约克郡当庄稼汉。他们很可能什么也没读过。而他们可能也没看过多少画，特别是在英国，克伦威尔和宗教改革可能抹去了大部分的图画，甚至是教堂里的画。

因此在安徒生的背景和霍克尼的背景之间存在着一种联系，同样地，全福在《一颗简单的心》中的内心世界与霍克尼的内心世界也存在着关联。按照全福的说法，关于她在教堂中听到的宗教教义和礼拜，“她丝毫也不懂，就连尝试了解的心思也没有”，但是那幅圣灵的图画，一只象征着爱、善良和希望的超自然的鸟儿，对她来说意味着一切。这“在她心中实在**印象深刻**”。当然，霍克尼毕生的努力就是想要创造出能够具有那样的影响力的图画。

霍克尼：总的来说，大部分图画都不是那样的。大部分图画只会被人遗忘。

14
毕加索、普鲁斯特与图画

霍克尼：我现在又开始画油画了，但我不会放弃用 iPad 画画，因为如果你把图层叠加起来，可以得到非常棒的质感。我们现在正在考虑要把除静物画之外的作品都用很大的尺寸打印出来，因为当我们把雨落在池塘上那张画放大时，你可以看到所有的笔触。而那幅画完全就是关于用笔的，不是吗？我们将要把打印出来的春天系列画作排成两行，偶尔会有一幅大画同时占据两行的位置。这些画将长达 40 米，你需要像经过贝叶挂毯一样经过它们。这会是一场长长的散步，而且还会有一种叙事性，不是吗？如果它们挂成一条长线，而人们因为病毒的缘故站在两米开外，他们可以沿着画走，而这些画甚至比那条挂毯还要长。这将是一种**渐进式的**（*cumulative*）体验。

霍克尼喜欢引用塞尚的名言，“一千克绿比半千克绿更绿”，这对于色彩来说是真的，但也可以用于几乎所有其他的事情。更大的尺寸会带来不同。但质感、环境或是在一个序列中的位置的变化也会带来不同。因此，排成一行的一百幅风景画将会带来与单独一幅风景画不同的效果，因为每一幅画都是对之前看过的画的强化。霍克尼长期以来就着迷于一连串画作汇合而成的叙事方式。最初，他制作与已有的故事相对应的图像，例如他的版画系列《浪子生涯》（1961—1963 年）以及《格林童话六则》。随后，他意识到不需要一个这样的出发点，一系列图

“大花园”工作室中的艺术家，以及一些以大尺寸打印的 iPad 作品，2020 年 8 月

画可以建构其自身的叙事方式，尽管那可能不同于能够支撑起一部文学作品的情节。这个想法似乎是在他有天随意浏览一部多卷本的毕加索作品集时产生的。

霍克尼：泽沃斯（Zervos）编的毕加索绘画图录太妙了！我把这套书从头到尾看了三遍。这要花点力气，但也是非常棒的体验。它让你不厌其烦。如果有 33 卷那么长的话，许多艺术家的编年图录**都会**让你不胜其烦。人们可能会认为这书不是用来那样整个看一遍的，但的确可以这样做。如果毕加索在一天之内做了三件东西，它们就被编为一号、二号和三号，因此你就知道他在早上做了哪件，下午做了哪件。这就像是一部视觉日记。1984 年 4 月，我做了一次演讲，内容是关于毕加索在 1965 年 3 月里的十天之内完成的 35 幅画作，我说它们构成了**一件**艺术品。当我发表演讲时，我没有照本宣科地念稿。如果有人在讲座上念稿，而你坐在听众席上时，你会问自己干吗到这里来——你还不如自己把它读一遍呢。但如果有人带着兴趣和热情发表演讲时，这就不一样了，不是吗？听众可以从你的语调中分辨出你是否热情洋溢。我第一次做这个演讲是在纽约的古根海姆美术馆。当我在洛杉矶再讲时，雕塑家罗伯特·格雷厄姆（Robert Graham）走过来说："你做那个讲座前是不是吸了点可卡因？"我说："没有啊，我怎么敢呢？要不然的话我可能会讲更久的！"但他认为我吸了，因为我说话时滔滔不绝的样子。

典型地，尽管霍克尼作为演讲者的经验并不多，但他迅速把握了演讲的精髓：这是多样化的表演，你最好是即兴演讲，即便你其实在背稿。同样典型地，他为自己的发现而激动：几幅绘画可以拥有一条内在的故事线，与任何已有的，或可能存在的用语言描述的故事线都大不相同。

多亏古根海姆美术馆巨细靡遗的存档系统，以及当代世界中无处不在的信息，只要轻点鼠标就可以听到霍克尼发表的演讲，题目为"毕加索：20 世纪 60 年代的重要画作"，时间是近

40 年前的一天。他以赞美泽沃斯的图录为开头，他像读小说一样阅读那套书（它仍然摆在他洛杉矶那套房子里起居室的书架上）：

> 这是一部极为独特的档案，因为，从很早开始，毕加索就给作品标注日期……你可以查阅这套书，并且找到他在 1939 年 6 月 23 号星期四下午或者别的日子里干了些什么。你的确可以查到。

随后，霍克尼开始讨论毕加索在那非同寻常的十天时间里画下的特殊画作——每幅画都展现了艺术家在描绘一个女人，以及她们对他意味着什么。

> 在这 35 幅画的每一幅之中，关于女人的画，对观看方式的创造，都是惊人的。确实如此，因为每一次，都有一些不同……因此我们看到的是一位艺术家和他的模特，一个女人。他以一种方式向我们展示她。随后艺术家坐了下来……我认为这是在告诉我们当他每次看见和观看女人时，当然，都可以看到有些东西不一样了。有如此之多的面貌……它们也关乎画布，空白的画布，关于描绘的问题，关于表现的问题。这就是为何毕加索永远不只是我们所谓的抽象派画家。他暗示我们并不存在抽象这件事，你总是在描绘某些事物。

随后，霍克尼推测了其中一幅特定作品的含义，在这幅画中，被描绘的画家放下画笔，只是凝视着他的女模特。

巴勃罗·毕加索，《工作中的画家》，1965 年

这可以用相当多的方式来阐释。不过，总而言之，一位艺术家总是在观看。这幅画也涉及艺术家需要去观看，需要看见。就像画中一样，艺术家要不断地回到自然中。我认为毕加索表现的就是这点，这也是为何艺术总是开放式的。

霍克尼认为这位伟大的西班牙人的作品里充满着隐藏的故事，这个观点是对的。毕加索承认他乐于“没完没了地编造这些故事。在我画画时，我一个小时接一个小时地观察我的造物，想象着它们能做出来的疯狂事”。显然，毕加索在审视自己，思考着自己在做什么，就像他在《工作中的画家》（签名并写下日期：“31.3.65”）中所画的那样。显而易见，霍克尼从毕加索身上看到了自己——或是他的生活和事业应该发展的方向。这或许是他喜欢用一组创作构成一件艺术作品这个偏好的来源。他在近十年来做的作品都是这样的：2011、2013 和 2020 年不同的《春至》，还有《82 幅肖像画和 1 幅静物画》（2013—2016 年）。他已经开始想将画作组合为一个更大的整体了。

霍克尼：人们通常在展览开幕**前**为展览写点东西，写展览图录之类的，但在展览后再做这些事要有趣得多。当策展人把作品放在一起时，他们单独看几幅作品，但大部分时间都是在看照片，之后就开始写他们的文章。但策展人曾告诉我，只有将展览看作一个整体时，你才能实实在在地了解到一些事情，这意味着你在**整体地**看作品。

另一方面，任何从一幅油画或素描中产生的叙事都是开放式的。似乎甚至连毕加索也需要运用他的想象力来猜出他画中的人物打算干什么，有时它们也会让他自己感到惊叹。

霍克尼：虽然每个人都看着同一幅画，但他们看到的东西却未必一样。

*

霍克尼：我正在重读普鲁斯特的《追忆似水年华》(*Remembrance of Things Past*)。这是我第三次读这部书了。让·弗雷蒙(Jean Frémon)给我带来了一套斯科特·蒙克利夫(Scott Moncrieff)的译本。我刚开始读。实际上，我正在读"索多玛与蛾摩拉"这部分，所以我是从中间开始读的。

在早年的自传里，霍克尼描述了他与普鲁斯特的初遇。事情发生在他服国民兵役时期，因为他出于道义上的原因而拒绝服兵役，因此他在黑斯廷斯附近的一所医院里工作。这是他人生中作为艺术家几乎什么都没做的一段日子，因为他在当医院的勤务工，这份工作很忙：

> 我18个月都在读普鲁斯特，这很可能是我没做任何作品的另一个原因。我逼自己读这部书，是因为一开始它实在太难读了。我从未出过国，但别人告诉我这是20世纪最伟大的作品之一。我年纪轻轻就开始读书，但大部分是阅读英语作品。只要内容是关于英国的，我就大概能知道它在讲什么。我读过狄更斯，大概知道他的作品是什么样的，但普鲁斯特就不一样了。

普鲁斯特的小说之所以作为一部伟大的现代艺术作品而驰名，是因为它处理了关于时间和感受的相对性的问题。万事万物都是从特定时间和特定角度被观看的。这部浩繁的七卷本小说几乎不具有通常意义上的情节，尽管其中也有风流韵事、社交聚会和旅行。它更像是一系列的瞬间，当讲述者领悟到自己人生中那些复杂难解的马赛克图案是如何拼合起来的那一刻，便是故事的高潮。正如霍克尼曾对我说的那样，这部小说本质上是用一种立体主义的方式观看世界，将无数的观点和瞬间组合为一个整体。

这部小说也是高度视觉化的——这是霍克尼的另一个观点——尽管普鲁斯特是用词语写作的，在书中，他似乎经常以图画的方式思考。在《普鲁斯特的望远镜》（*Proust's Binoculars*）一书中，文学学者罗杰·沙特克（Roger Shattuck）指出小说家是多么频繁地使用“图像”（image）一词来描述人类的经验和思想。但他将这个简单的词汇分割为一系列更明确的隐喻，诸如**摄影术**（*photographie*）、**样片**（*épreuve*）、**负片**（*cliché*），以及**快照**（*instantané*）。

这些全都是指涉碎片化的印象或记忆的方式。最基本的词语“**块**”（*pan*）也是如此，它的意思是“边缘，部分，点”。在小说开头，主人公马塞尔对于贡布雷的村庄，他童年的情境，能够回忆起来的只是“*un pan lumineux*”，被照亮的一块区域，像是一张带有魔法的幻灯片，上面有他居住的房子和其中的住户。在下一卷中，作家贝戈特死在维米尔的《德尔夫特小景》（*View of Delft*）前，他去美术馆看这幅画，他在报上读到关于它的“一小块黄色的墙面”（*petit pan de mur jaune*），被描述为“就好像是一件无价的中国艺术品，或是一种自足的美”。实际上，这是一道笔触，是那种莫奈可能会加在他的干草垛上，

《母亲 I，约克郡荒原，1985 年 8 月》，1985 年

或是霍克尼会在一幅油画或 iPad 画作上加上的那种笔触。这是一枚色彩的音符，让图画歌唱，为视觉而生，藐视语言的分析。布拉克曾经说，在艺术中，你可以解释一切，却解释不了最重要的那件事。“一小块黄色的墙面”就代表着那不可被解释的附加因素。

然而，普鲁斯特的观点不仅仅是几乎抽象的色彩音符的问题。他的洞见之一，几乎和霍克尼经常表达的观点一样，是“我们用记忆来观看”。这就是说，我们不是在不到一秒钟的时间里匆匆一瞥，就像相机快门所做的那样。我们的眼睛与我们的头脑相连（这也是他常说的一点），因此我们能够根据我们以往的所知所见，来理解我们现在的所知所见。这就是普鲁斯特为何认为要理解某事或某人，只能通过不同时刻的一系列图像来理解的原因。因此就有了书中人物马塞尔对他的一位熟人灵光一闪的思考：

> 维尔迪兰先生的天性向我展现出一种崭新和意料不到的面貌，我得承认，展现一种天性的固有形象，有如展现社会和爱欲一样困难。因为天性就像它们一样会发生变化，而如果有人希望去为天性相对不变的样子拍下一帧快照，他就只能看着它以一系列不同的面貌呈现（意味着它并不懂得如何保持静止，而是一直在变化）在他不知所措的镜头前。

这在文学和精神上对应于霍克尼在20世纪80年代所做的摄影拼贴作品中的一件，它由无数幅在不同时间和不同角度拍摄的对象的照片组成。霍克尼实际上是一位非常普鲁斯特式的艺术家。

盖福德：时间中存在着透视关系，和空间一样，不是吗？你从一个视点看所有的事物，是**此地**（*here*），但也是**此时**（*now*）。这些日子你在读普鲁斯特的小说，同时也作为一位法国居民，就住在普鲁斯特书中的场景发生的一些地方。一方面，在1957年，你在时间上与普鲁斯特写到的时段的距离，比我们现在和20世纪50年代的距离更近一点。

霍克尼：普鲁斯特小说里的许多故事发生在诺曼底。他曾经坐着一辆密闭的车子来到这里——因为他的哮喘——来看紫色的兰花。一辆密闭的车！［笑］去年夏天，我们前往卡堡（Cabourg）的海岸（在书中称为巴尔贝克），在大旅舍（Grand Hôtel）用了正餐，普鲁斯特曾住在这里，那次是跟凯瑟琳·屈赛（Catherien Cusset）一起，她当时正在写一部关于我生平的小说。在墙上有一段用镜框镶起来的话，选自《追忆似水年华》的第二卷“在少女们身旁”，其中普鲁斯特描绘了渔民和工人从外面望向餐厅，挤成一团贴在玻璃上。他写道，就像是一个水族馆，穷人盯着每个盛装打扮的人物，就像是在观察另一个物种。富人的习惯对于他们来说如同鱼和龙虾的生活一样奇怪。旅舍和大海自从1907年以来并没有发生什么变化。但如今窗外的人们与窗内的人们的穿着打扮是一样的了，几乎一样。

盖福德：建筑如故，但它周围的世界彻底改变了。

霍克尼：是的，我们确实也发生了变化，或者至少是我们的观点发生了变化。在我的画中有了明显改变，因为我现在身处诺曼底。这点也适用于时间和你的年龄。不久前的某天，我对西莉亚说，她的孙辈，大概18或者20岁，看起来棒极了。现在那个年纪的每个人对于我来说看起来都棒极了。我20岁时可不这么想。但年龄本身就会随着时间而改变，或者说什么算是年老也会随着时间而改变。我记得我的伯母曾经说过：“我现在非常、非常老了。”——但她当时差不多才55岁。

《斯嘉丽·克拉克，2019 年 11 月 20 日》(西莉亚·伯特维尔的孙女)，2019 年

15
人在一地

霍克尼：当封锁开始时我们能待在这里，真是太幸运了。我一直在埋头工作。我们不去拜访任何人。对我来说这简直太棒了。我想我们变得更有创造力了。如果一直人来人往，我们就不可能完成所有这些绘画和动画片，但没人打扰我们。

我打算一直待在这里，并且做我现在正在做的事情。但别处的许多人此时很可能正在观察周围的环境——并且也把这些都画下来。我在推特上收到了一些人的画，他们看了我的作品，然后也试着做了些类似的事情。也有小孩子这样做。有些画特别棒。大卫·犹大（David Juda）[一位画商朋友]告诉我他今天到图庭公园（Tooting Common）散步了，因为天气绝佳，花朵都绽放了。但他平时绝不会想到要去那儿。西莉亚正待在她的小屋里，但她说这是第一个她真正仔细观察的春天。人们在**观看**事物。

有一次，当我在麦迪逊大街一带的一间平凡无奇的办公室里和美国抽象画家埃尔斯沃思·凯利（Ellsworth Kelly）聊天时，他开始指出哪种景象会带给他画画的灵感。望着实用的百叶窗和隔板，他惊呼道："看看角落里那片阴影！那里在发生什么！"当他这么一说，我就能在其他微妙的，显然并不重要的细节里发现或许是凯利一幅画的萌芽。同样地，有一天，霍克尼一定是注意到了一棵枝干低垂的树，树上零零星星地散布着花朵，他对这棵树洒落在刚修剪过的草坪上的影子的图案产生了兴趣，

《第 187 号》，2020 年 4 月 11 日

他还注意到了空间逐渐向后延伸的方式：首先是延伸到树篱处，之后就到了后排的树丛那里，最后延伸向天空——随后，他很有可能像凯利望着那片软百叶窗一样，心中想着："那里在发生什么！"

霍克尼的朋友乔纳森·布朗和他相识已经40多年了，很久以前，大卫偶然说出了一句话，让他有当头棒喝之感："我不一定非要待在哪儿。"听到这句话，乔纳森领悟了霍克尼的意思，是他觉得自己不需要**特别**为了工作而待在什么地方；实际上，过去这些年，霍克尼在许多不同的地方作画，他的足迹遍布欧洲、美国、亚洲和北非。但是，乔纳森将这种洒脱的方式与一种更为大胆的设想联系在一起：对于大卫来说，每个地方都是有趣的。

不止一次，霍克尼想象着凡·高可能会被关在美国最无聊的汽车旅馆里——也就是说，一间斯巴达式的单人间——带着他的颜料和画架。几天之后，他就会画出一些美丽的、引人入胜的不朽之作。事实上，这只是对实际发生在阿尔的事情稍微夸大了一点的描述。在那里，凡·高发现自己居住在城镇肮脏的郊区——如今这个地方满是自动洗衣店、便利店、汽车轮胎经销店。他作品的许多主题就是这些世俗场所的19世纪翻版。他画下铁路线上方的桥梁，铁路旁轨上的运货马车，毫无特色的市政公园，他还画下了他小屋外头为了埋置煤气管道而被挖开的街面。甚至还有他笔下描绘的那片农业平原地区，他画下了那里光辉绚烂的丰收景象，像霍克尼指出的那样，这里如果拍成照片，则会显得平淡无奇。

这也适用于霍克尼自己的作品。他在约克郡画下的原野和森林，尽管是那样的怡人，却不比英国乡村的其他数千个角落更特别（其实和它们相差无几）。在某些方面，一个已经知名的地点——华特·席格（Walter Sickert）习惯于把这些地方称为

“八月风光”（august view）——比那些没什么特别的普通地区更难以表现。莫奈初到威尼斯的时候，他的第一反应是，在这里绝对没办法画画：这里太美了，而且从卡纳莱托（Canaletto）到惠斯勒（Whistler）的每个画家都已经把这里画过一遍了。莫奈克服了这些感受，而霍克尼也对付了不少“八月风光”式的主题，比如美国大峡谷和约塞米蒂国家公园。不过，近年来，他更加专注于康斯太布尔所谓的他自己的“专属之地”（own places）——东约克郡以及现在他在法国北部的四英亩土地。这些风景的独特之处正是在于它们是他的专属之地：经过了他的长期研究和内化。他深深地、透彻地、密切地了解它们，并且随着投入其中的每一小时而越来越理解它们。一点一点，这些熟悉的地点变成了包含着一位画家所需的所有原材料的微观世界。

其寓意是这样的：并非地点本身特别有趣，趣味来自于凝望地点的人。不管是哪里，它都将成为世界的一部分，时空法则将会随之而生。太阳将会升起落下，月亮也是如此。哪怕是一道特定的光线或是特殊的色彩变化都能让艺术家产生兴趣（或许只有某类艺术家才会感兴趣：没多少人能像凡·高那样从阿尔的铁路桥或是城镇花园中得到启发）。

霍克尼：全都在这里啦！每一种树——苹果树、梨树、李树——而且你能看到天空正包围着你。天空真是绝了。有时候会有一片片**巨大的**白云，在蓝色上**泛起**白色的微波。我觉得这批 iPad 作品要比我上一批作品好得多。它们拥有更多的细节，我完成得更加深入。2011 年，我刚拿到 iPad 六个月时，用它画了第一幅《春至》（*Arrival of Spring*）。但 2020 年的这个春天有着更丰富的细节。像我以前说过的那样，在这里，我住在我的主题之中，这让事情起了很大的变化，

约翰·康斯太布尔，《斯陶尔河上水闸旁的弗拉特福德磨坊》，约 1811 年

因为我可以更好地了解这些树木。

对于约翰·康斯太布尔和东贝霍尔特（East Bergholt）来说，事情也是一样，这座位于萨福克郡和埃塞克斯郡边界的村庄是康斯太布尔的出生地。他住在东贝霍尔特，常年观察这里。当他还是个小男孩时，他就常常坐在河边钓鱼。用一根线捕捉鱼儿，尽管或许对动物并不友善，却是一种需要对最小的信号有着最密切关注的活动——水流，微波，云影——都可能是猎物要出现的讯号。要想成功，像另一位由钓客转行的艺术家朱塞佩·贝诺内（Giuseppe Penone）点明的那样，你需要理解鱼在想什么。并且这还不够，还要知道环境整体是如何协作的：了解那里的天气、河水、植被，以及生物。

最近，当我每日散步健身走过河边草地时，我常会想起康斯太布尔，部分是因为这里是一处东盎格鲁的风景：平坦，繁茂，湿润，柳荫丛丛。当然，现在看到这样的地带而不去想这位艺术家的名字也挺难的。但这是因为他展现出从这么一块小小的土地上能够发掘出那么多视觉上的愉悦。东贝霍尔特的整个地区，弗拉特福德，以及与斯陶尔河绵延相连的地区，不比我常常漫步的剑桥河畔一带要大多少——很可能还要小——也不比霍克尼的诺曼底地区要广袤几分，而在这片乡村的角落里，康斯太布尔画出了一幅又一幅的作品，其中许多都是伟大的杰作。

结婚之前，康斯太布尔定期在初夏从伦敦返回东贝霍尔特。当他在那儿给自己的未婚妻玛利亚·比克内尔（Maria Bicknell）写信时，他几乎总是惊叹于萨福克郡此时“正极度美丽”。他的热情在 1812 年 6 月 22 日达到了动人的顶峰，那时他断言：“这个时节的乡村之美无与伦比，它的新鲜，它的宜人——此时窗口吹来的微风令人愉悦，有如天籁。”这也正是会令霍克尼为之惊叹的那种情景，其表述方式带有浪漫主义时期的风格。有些画家像透纳那样满世界旅行，寻找新的景色。但还有些则属于康斯太布尔的类型，心中记挂着 17 世纪荷兰的大师，被称为“宅人”。康斯太布尔就是一个宅男。他从未出过国，甚至拒绝去巴黎领法国国王查理十世颁发给他的绘画奖章。几乎所有他的不朽之作，画的要么是他住的地方，要么是他喜爱的那些地方：东贝霍尔特，汉普斯特德，索尔兹伯里，布莱顿。它们都是他的专属之地。

同样地，剑桥的那些绿地和公共用地则是我的地盘。我已经上百次经过这些地方了。然而，康斯太布尔帮助我去观看它们，就像是他从更早的画家如雅各布·凡·雷斯达尔（Jacob van Ruisdael）那里获益一样。“我们从那些最杰出的荷兰画家那里获得惊喜，”他解释道，“惊喜来自于我们发现当艺术趋于完美之时，能够赋予那些最平凡的题材以多大的趣味。”这正是霍克尼关于凡·高和汽车旅店的看法。

霍克尼：我告诉过你伦勃朗对他的学生是怎么说的：别去旅行，哪怕是**意大利**也别去。当然，走遍阿尔在以前也是相当了得的一件事。现在你只是坐在飞机上俯瞰群山。是的，我不介意待在这儿。我的身边有许许多多事物。我会永远记得2020年的春天。天气棒极了。有时候下雨，但**雨**也美极了。我会继续待在这里，因为苹果树只有在此时才会变绿，果子刚刚长出来一点。这里依然有着**春天**的绿色。

*

毋庸置疑，尽管每个地方都可能同样地引人入胜，但实际上每个地方的情况不可能是完全相同的。换地方就会带来变化。事情会如此，部分是因为地球表面我们目光所及的每一片土地，都受制于物理和化学的定律，它们会带来一种无限的变换。太阳光线的角度变换取决于纬度，北方或南方，你站在哪里，以及这是一天里的什么时刻，一年里的哪一天。在《水的密码》一书中，特里斯坦·古利解释了即使是最微小的水坑——这是霍克尼喜爱的主题，它的位置也是由各种因素共同决定的，例如基本的地质情况，地形，盛行风，这个地方的正午日照是否会被遮挡（在北半球正午太阳位于正南方）。水坑表面涟漪的形状会随着大大小小的干扰因素而变化，一只喝水的小鸟，或者一辆开过的公交车；它会包含自己独有的、小小的有机组织的小群落，完全适应温度和土壤酸度方面细微的改变，等等。

因此，不仅仅是一个水坑可以反射出更广阔的世界——天空

《沃德盖特，2013 年 2 月 6—7 日》，选自《2013 年春至》，2013 年

爱德华·蒙克，《太阳》，1910—1911 年

和群星——在其自身之中也有着对更大现象的微缩版本：湖泊、河流、海洋。然而，这显然并不意味着你会在所有这些地方看到同样的东西。正好相反，每个地方都会以自己的方式独特地存在。就拿太阳的高度和白昼的长度来说吧。几年前的一个 7 月，我坐船去拉脱维亚的波罗的海沿岸。这里并不是能看到极昼的地方，但我们很接近那里。太阳确实降到了地平线以下一会儿，大概是早上两点，但一会儿日落，一会儿日出。每晚，天空中都呈现出红色、粉色、金色和紫色的空中表演，持续好几个小时。

这让我好奇马克·罗斯科（Mark Rothko）在拉脱维亚度过的童年对他的想象力是否产生了很深的影响。罗斯科是美国公民，也是抽象表现主义画家组成的纽约画派之主要成员。1913年，他永远地离开了俄罗斯的土地，当时他十岁。不过，认为他的艺术和想象力深受童年时代的影响是有原因的。马克斯·罗斯柯维兹（Marcus Rothkowitz）出生在德文斯克，当时那里还是沙俄帝国的一部分，现在则是拉脱维亚的城市陶格夫匹尔斯（Daugavpils）。这里森林密布，道加瓦河（Daugava）流域宽广。冬天漫长、阴沉，并且酷寒——罗斯科回忆他曾滑冰去学校——而在仲夏，每晚的日落时间仅有三小时。在一首诗中，他将天堂比作一道在迷雾中闪耀的光线。罗斯科曾对他的一位画家同道罗伯特·马瑟韦尔（Robert Motherwell）赞美他童年目睹的“辉煌的”俄国日落。

霍克尼：越往北，太阳就不再真正地落下了。它落到地平线以下，停在那里，然后又开始向上移动。我在挪威北部看到过那样的景致，我也在那里看到过北极光。我还注意到了爱德华·蒙克（Edvard Munch）画里围绕着太阳的那些光环，你可以看见它们。太阳不光有光线，还带着和蒙克画里一样的光环：其中的线条是相机永远无法看到的，但我们可以。当然，在奥斯陆的6月，蒙克可以比在阿尔的凡·高看到太阳的时间长得多的多。

我们去了挪威两次，一次是去卑尔根，一次则是到了挪威的极北端，斯匹次卑尔根岛往南一点的地方。那里像是世界的边缘。那儿有一扇大大的窗户，你站在窗边，和所有默默走过的人一同凝望着在这片迷雾中落下又升起的太阳。当人们去北极时，如果是夏天去的，那他们根本看不到一个夜晚。在冬天的时候，则**完全是**夜晚。

在东约克郡也是一样，你能够看到大片的天空，因为那里没有山峦，因此你能看到日落日升。那儿的天空真的特别广阔，虽然没有美国西部那么广阔，在美国西部你可以望到很远很远的地方。在诺曼底这里，6 月 21 日，仲夏，也就是昨天晚上，因为有山遮挡，就不太看得到日落。但从厨房窗户那里可以看到日出，旭日初升时，你可以看到阳光像是细小的金条。而日落时，太阳越过群山向房屋西边落下，因此可以看到至此之前的日落景象。当然，在任何一处海边，都可以看到漂亮的海上光线。在布里德灵顿也能看到，因为光线自海面反射而来。我在那儿的工作室非常明亮，因为它离海岸非常近。海上光线能投射到大约一英里的内陆，因为那就是海面反光的长度，之后光线就逐渐消失了。现在我们离海大约有 12 英里。

布里德灵顿的日落与日出激发出无数幅迷人的画作，正如在诺曼底我们现在能看见的那些作品一样。在有些情况下，霍克尼——和埃尔斯沃思·凯利并无不同——留意到在他卧室里，太阳和软百叶窗之间一些有趣的互动。

*

康斯太布尔对树木有着强烈的，几乎是炽烈的感情。1814 年 6 月 5 日，他向玛丽亚坦白："我爱树木和原野，胜过爱人。"（不过她是他的例外。）在 1836 年的一次演讲中，他描述了一株白蜡树的悲惨结局——他的用词是，"这位年轻小姐"的命运——他听起来完全像是刚刚丧失了一位爱人。之后他展示了一幅画作，是"当她还身强体健且美丽"时画下的。他接着讲述了在那之后，他经过这棵树，发现"一块卑劣的木板钉在她的一边，

《第 187 号》，2020 年 6 月 17 日

上面用大大的字母写着：依法处置所有流浪汉与乞丐”。这棵可怜的白蜡树“似乎感到耻辱”，她的枝干开始枯萎。等到康斯太布尔下一次见到她时，她被砍得只剩一根垂死的树干，高度仅够支撑那块布告板了。“不用说，她因心碎而死。”

霍克尼：我们意识到，明年的 3 月、4 月和 5 月，我们不希望有任何的访客，因为那会是最忙碌的时候。下个春天，我想我会集中关注樱桃树。每天都要画它。一旦小小的变化开始发生，我应该就可以每天都画它了。[他一定很爱那棵樱桃树，还有那片濒死的梨树，它们的枝干像是在击掌，还有所有其他的树木，就像康斯太布尔爱他的白蜡树那样。] 人应该画自己爱的事物！我画的就是我爱的事物，一直如此。我将会继续待在这里。我暂时不会回美国。在这片土地上我画了 120 幅关于春天的画。我三个月都没有离开过这里。现在我将要整年留在这里了——还有明年。从 2 月起我开始待在这里，准备到明年 1 月底离开，到时候我就在这里一整年了。我知道当我明年画冬日树木的时候，会画得有点儿不一样，因为我的技术又提高了一点。

《第 472 号》，2020 年 8 月 3 日

《第 592 号》，2020 年 10 月 31 日

16
诺曼底的满月

霍克尼：明晚是月圆之夜，如果天气好的话，我准备在户外的月光下画几幅画。或许我甚至会到河边，去看看月光下那里是什么样子。我想，这次的满月应该叫作“蓝月亮”。有个相关的说法。

盖福德：……还有首歌呢，一首爵士歌曲。

霍克尼的热情是有感染力的。第二天晚上是万圣节前夕，我发现自己站在花园里仰望天空。月亮确实是一个非常明亮且看起来巨大的球体，从屋顶上升起，不过它当然不是蓝色的。显然，可能是在一种非常特殊的大气状况下，月亮才会被染上颜色，但这种表述的逻辑被逆转了。蓝月亮意味着一个非比寻常的月亮，在这里指的是一个月里的第二次月圆。不过，在剑桥这种景象没有持续太久。过了一小会儿，一层朦胧的云影就如帘幕般飘来。一定是吹起了西风，因为在诺曼底，晴朗的天色持续了更久。在那个寒冷的夜晚，霍克尼连续几个小时待在户外的草坪上，画呀，画呀，画呀。更晚的时候，我的手机响了。

霍克尼：你看到我发过去的月亮的画了吗？现在云太多，看不到月亮了，所以我准备先睡几个小时，希望晚点儿月亮升到池塘上方时，天色会好些。目前所有的画都是在门口画的。我想，我已经画下了自 3 月以来的每一轮满月。这次我们让房子里的灯都亮着，我想要这样做，是因为我坐在屋外的一把椅子上。当我看到这些灯的时候，我想："哦，不错！"从门窗射出的光线照出了树木的轮廓，我也把这个画了进去。

盖福德：这栋月下亮起窗户的房屋有种日本的感觉，月亮映照在水塘里也是个非常美妙的主题，像是一首俳句。为月圆而感怀，是一件非常日本化的事情；当然，在日本，人们认为秋天才是观月的最佳时节。同时，从窗户射出的光线让这幅画带有一种怡人的季候感：在夜晚亮起灯的房屋就会让人联想到冬天。

霍克尼：是的，夏天里人们要到晚上 9 点 10 点才开灯，而在一年里的那个时间段我都已经上床睡觉了，因为我要在 5 点半或是 6 点起床去画日出。

*

霍克尼依然很容易迸发出激情。现在引发他激情的是月亮，他的小水塘，他的草坪下方的溪水，以及秋叶，一些仍停留在枝头，一些则飘落在草地上。今年早些时候，让他激情澎湃的则是丰收时节，日升日落，然后是春天；而在这些事物出现之间，在过去 60 多年间，还有许许多多其他的事情让他激动，多得说也说不完。

那个关于狐狸和刺猬的区别的古老说法——"狐狸知道很多的事，刺猬则只知道一桩大事"——并不真的适用于霍克尼。霍克尼了解一件重要的大事：如何制作图画。但他投身于制作图画的行为，却让他走向了数不胜数、形形色色的方向：电影、摄影、数码绘画，以及一系列百科全书式的印刷媒介，同时还有看待艺术史的全新角度——对老大师作品和现代主义的重构。所

《第 599 号》，2020 年 11 月 1 日

有的艺术大师都会教我们如何以全新的方式去认识世界。霍克尼当然做到了这一点，但更难得的是他这样做时展现出的清晰度，并由此以他的能力去抄近路。这是他的性格和作品中自然而基本的一部分。他热爱简洁明了的线条、形状和构图。所有这一切赋予他的画作一种在室内激起回音的能力，并且——不仅如此——它们跃出了画廊的四壁，与在艺术世界之外的许许多多更广大的群体产生了联系。

他用词语也能做到这一点。总而言之，他的兴趣非常专门化，甚至深奥。他是那种可以自得其乐地花上五个小时只看一个画展的人，而在画了一天画之后，为了消遣，他会阅读普鲁斯特、福楼拜，或是浏览一篇长达 700 页的关于瓦格纳的文化影响的研究文章。但当他开口时，甚至是对于这样的主题，他也说得如此清晰简单，以至于几乎是他说的每一句话，用新闻学的说法，都是高度可引用的。与此同时，通过以他喜欢的方式搭配着装——就像他画画那样——霍克尼也将自己打造成一个具有高辨识度的形象。

因此——人们会猜想，不需要太大的努力——霍克尼早已在大众媒体的舆论场中成了一个名人。毫无疑问这对他很有利，同时也很不利（被打扰，侵蚀了绘画所需的宁静生活）。然而，沽名钓誉永远都不是他真正的出发点，他的原动力其实是对绘画的痴迷，以及通过绘画传达出的对世界的向往。和寿司之神小野二郎的作风一样，他只是坚持做同一件事，并持续地被想要做得不同和更好的热望点燃。他所有的画作，不光是那些描绘他住宅旁的小池塘水面的画作，都映照出世界，并且展现出它有多美好。在最近这非同寻常的几年之中，特别是在这个疾病肆虐、封锁横行的时期，他设法在日益贫瘠之处寻求更多的丰富性。与其他著名艺术家，特别是那些保持前行和成长的艺术家们一样，他教给我们宝贵的一课，不光是如何去看，而且是如何去生活。

盖福德：甚至从“霍克尼的标准”来看，你这一年都是惊人地高产。

霍克尼：是的，我做到了，而且我认为这也是我最好的一批作品。每次我走到户外，都能发现一些入画的事物。我就只是看着某个地方，然后就开始动笔。我刚刚又一次画了一幅池塘。很快我就会给你看这幅画。还没画完呢。在自然中，像我以前说的那样，一切都处于流动之中；事实上万事万物都在流动，而不是封锁。我可以在这里画画，特别是在潺潺流动的河水边。我现在知道怎么画水了，我凝望着它泛起的泡沫。我要在这里再待上一年，度过另一个春天、夏天，以及秋天。

J-P：[经过] 别听他的。他还要继续再待上十年呢！

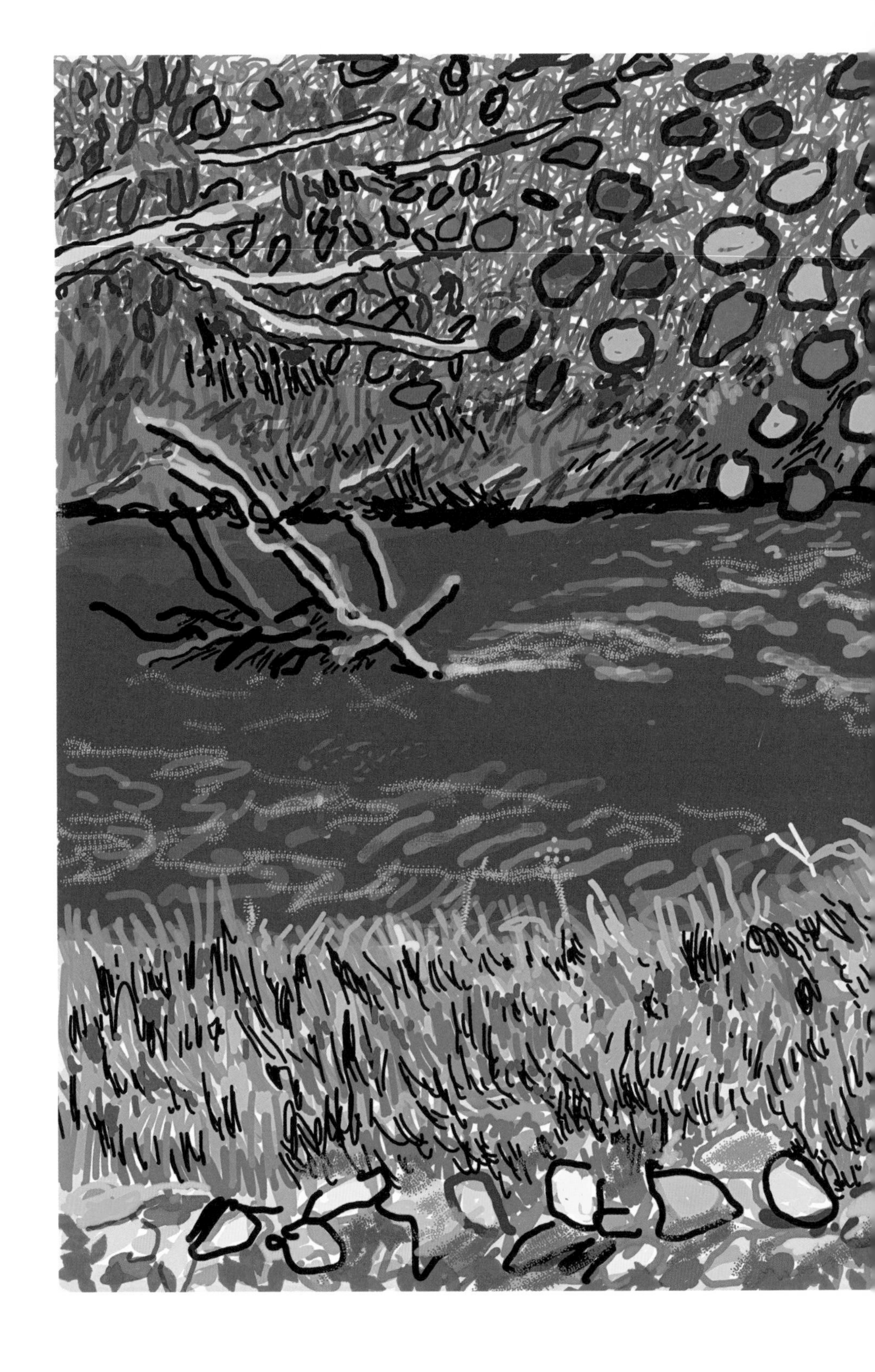

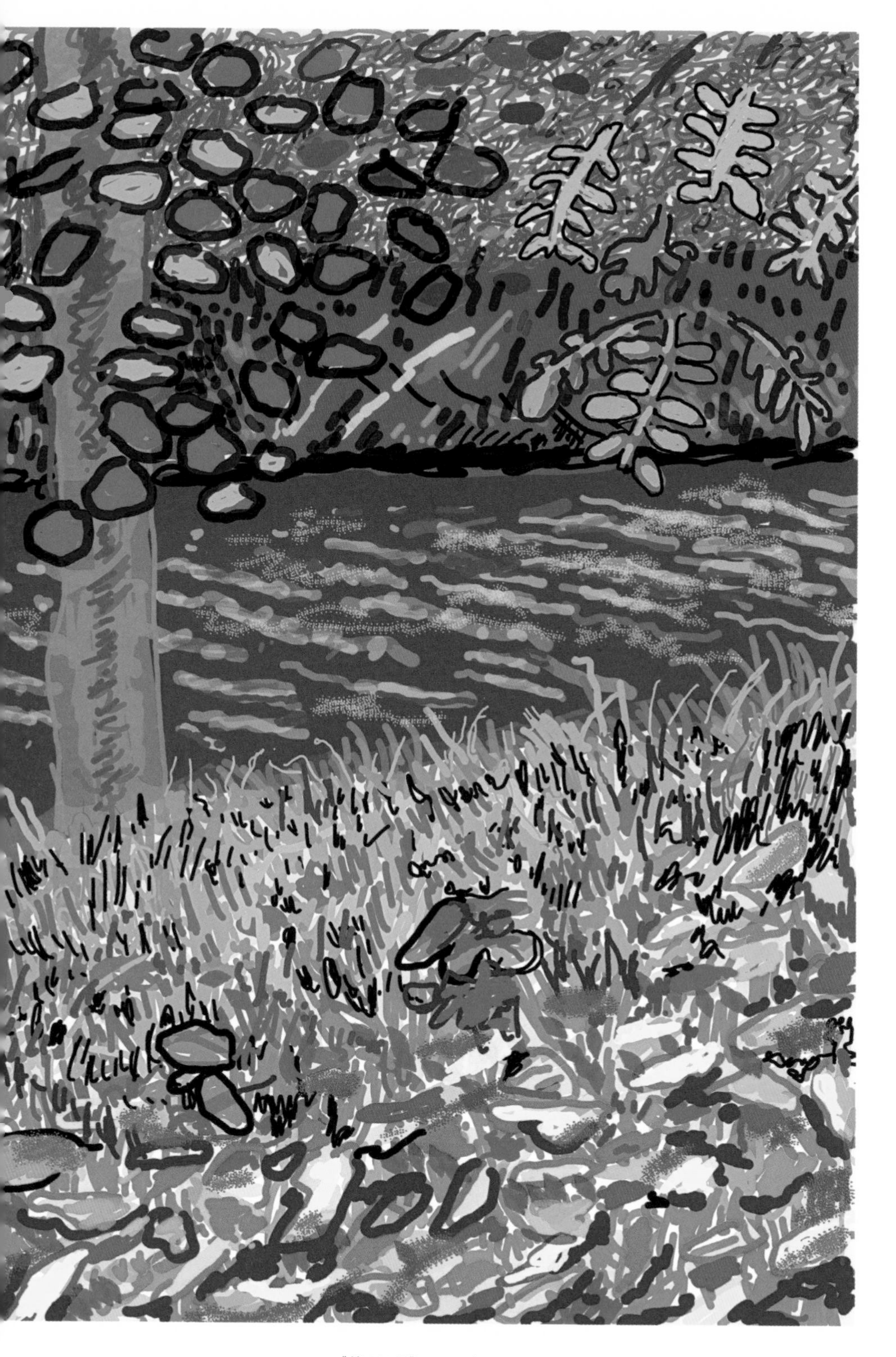

《第602号》，2020年11月2日

参考文献

Clark, Timothy (ed.), *Hokusai: Beyond the Great Wave*, exhibition catalogue (London: Thames & Hudson, 2017)

Constable, John, *John Constable's Correspondence*, Vol. II ('Early Friends and Maria Bicknell'), edited by R. B. Beckett (Ipswich: The Suffolk Records Society, 1964)

Csikszentmihalyi, Mihaly, *Flow: The Psychology of* Happiness (London: Ebury Publishing, 2002)

Flam, Jack, *Matisse on Art*, revised edition (Berkeley, CA.: University of California Press, 1995)

Flaubert, Gustave, *Three Tales*, translated by A. J. Krailsheimer (Oxford: Oxford University Press, 1991)

Fuller, Peter, interview with David Hockney, 1977, http://www.laurencefuller.art/blog/2015/7/14/david-hockney-interview

Gogh, Vincent van, The Letters http://vangoghletters.org/vg/letters.html

Golding, John, *Braque: The Late Works*, exhibition catalogue (London: Royal Academy of Arts, 1997)

Gooley, Tristan, *How To Read Water: Clues and Patterns from Puddles to the Sea* (London: Sceptre, 2017)

Harford, Tim, *Messy: The Power of Disorder to Transform Our Lives*, 2016

Hicks, Carola, *The Bayeux Tapestry: The Life Story of a Masterpiece* (London: Chatto & Windus, 2007)

Hockney, David, *David Hockney by David Hockney* (London: Thames & Hudson, 1976)

Hockney, David, 'Picasso: Important Paintings of the 1960s', lecture, Solomon R. Guggenheim Museum, New York City, 3 April 1984, https://www.guggenheim.org/audio/track/picasso-important-paintings-of-the-1960s-by-david-hockney-1984

Hockney, David, *That's the Way I See It* (London: Thames & Hudson, 1993)

Hockney, David and Martin Gayford, *A History of Pictures: From the Cave to the Computer Screen* (London: Thames & Hudson, 2016)

Joyes, Claire, *Monet at Giverny* (London: W. H. Smith, 1978)

Kenkō and Chōmei, *Essays in Idleness and Hojoki*, translated by Meredith McKinney (London: Penguin, 2013)

Klein, Daniel, *Travels with Epicurus: Meditations from a Greek Island on the Pleasures of Old Age* (London: Oneworld Publications, 2013)

Morton, Oliver, *The Moon: A History for the Future* (London: Economist Books, 2019)

Nicolson, Benedict, *Courbet: The Studio of the Painter* (London: Allen Lane, 1973)

Otero, Roberto, *Forever Picasso: An Intimate Look at his Last Years* (New York: Harry N. Abrams Inc., 1974)

Ross, Alex, *Wagnerism: Art and Politics in the Shadow of Music*, London, (London: 4th Estate, 2020

Rousseau, Jean-Jacques, *Reveries of the Solitary Walker*, translated by Peter France (Harmondsworth: Penguin, 1979)

Shattuck, Roger, *Proust's Binoculars: A Study of Memory, Time and Recognition in 'À la Recherche du Temps Perdu'* (New York: Random House, 1963)

Spender, Stephen, *New Selected Journals, 1939–1995*, edited by Lara Feigel, John Sutherland, and Natasha Spender (London: Faber and Faber, 2012)

Zalasiewicz, Jan, *The Planet in a Pebble: A Journey into Earth's Deep History* (Oxford: Oxford University Press, 2012)

出处（此处页码为英文原版书页码）

p. 45 'In the corners there were huge rolls': Nicholson, p. 23

p. 45 '"Everything", he declared, "is subject to metamorphosis"': Golding, p. 9

p. 46 '"I am in the middle of my canvases"': ibid., p. 73

p. 56 Stephen Spender's visits to Paris: Spender, entry for 15 March 1975

pp. 63–4 '"the untidy, unquantified, crude, cluttered, uncoordinated"': Harford, p. 5

p. 64 'As he walked over to La Coupole': Spender, op. cit.

p. 65 '"I'd always thought of him as a rather minor artist"': Fuller, n.p.

p. 67 '"I thought the one thing the French were marvellous at"': Hockney, 1993, p. 53

p. 68 '"In the Pavillon de Flore, they had an exhibition"': Hockney, 1976, p. 285

p. 96 '"how a horse clambers out of a ship"': Hicks, p. 4

pp. 132–3 '"At one side of my little house at Malibu"': Hockney, 1993, p. 196

pp. 135–7 '"The house to the left is pink, with green shutters"': Van Gogh, Letter 691, on or about 29 September 1888

p. 137 '"as would be the bottoms of bottles, of bricks of rounded glass – purple glass"': Van Gogh, Letter 681, 16 September 1888

p. 137 '"Without changing anything at the house, either now or later"': ibid.

p. 138 '"You know that the Japanese instinctively look for contrasts"': Van Gogh, Letter 678, 9 and about 14 September 1888
p. 139 '"nothing special – a round cedar or cypress bush – planted in grass"': Van Gogh, Letter 689, 26 September 1888
p. 153 '"Every second, 16 million tonnes of water"': Morton, p. 21
p.161 '"to express the love of two lovers through a marriage of two complementary colours"': Van Gogh, Letter 673, 3 September 1888
p. 163 '"The use of blacks as a colour"': Flam, p. 106
p. 168 '"It isn't just the sense of volume': Hockney and Gayford, p. 275
p. 168 '"There *is* a difference between painting that veers towards music"': Fuller, n.p.
pp. 171–2, '"He's followed through on the dense blue, green, black, and red"': Roberta Smith, *New York Times*, 23 November 2017
p. 188 '"there is frequently a curious illusion"': Arthur Mason Worthington, A Study of Splashes (London: Longmans, Green, and Co., 1908, p. 31
p. 190–1 '"we can learn a lot about what is going on in the world's greatest oceans"': Gooley, p. 10
p. 194 '"There the noise of the waves"': Rousseau, p. 86
p. 202 '"Concentration is so intense"': Csikszentmihalyi, p. 71
pp. 210–11 '"The current of the flowing river"': Kenkō and Chōmei, p. 5
pp. 211–13 '"I believed that two canvases would suffice, one for grey weather"': Joyes, p. 9
p. 213 '"I am working terribly hard, struggling with a series of different effects"': ibid.
p. 212 '"I know beforehand that you'll say my pictures are perfect...."': Joyes, p. 39
p. 223 '"a godfather of modern art"': Ross, p. 69
p. 230 '"with his purple wings and emerald body"': Flaubert, p. 14
p. 230 '"she thought she saw"': ibid., p. 40
p. 230 '"his body was green, his wingtips pink"': ibid., p. 28
p. 232 '"Why, one can see that easily enough"': Hans Christian Andersen Centre, https://andersen.sdu.dk/vaerk/vaerk/hersholt/TheDropOfWater_e.html, n.p.
pp. 234–5 '"The emperor of China lives in a porcelain palace"': 'Le Rossignol', as told by David Hockney, http://www.saltsmill.org.uk/pdf/le_rossignol.pdf
p. 235 '"They are fascinating, the little stories"': Hockney, 1976, p. 195
p. 237 '"she did not understand"': Flaubert, p. 15
pp. 241–3 '"It's an incredibly unique document"': Hockney, 1984, n.p.
p. 243 '"no end inventing these stories"': Otero, p. 170
p. 247 '"M. Verdurin's character offered me"': Shattuck, p. 23
p. 255 '"Nothing can exceed the beautiful appearance"': Constable, p. 78

致 谢

我最要感谢的是这本书的主角——大卫·霍克尼先生，感谢他多年来慷慨地与我分享他的想法、工作和友谊，尤其是在过去两年。让-皮埃尔·贡萨尔维斯·德·利马（Jean-Pierre Gonçalves de Lima）、乔纳森·威尔金森（Jonathan Wilkinson）、大卫·道森（David Dawson），以及我的妻子约瑟芬（Josephine）也贡献了宝贵的想法、照片和热情。多亏了艺术编辑伊戈尔·托罗尼-拉利克（Igor Toronyi-Lalic）的鼓励，我在封锁期间对艺术的一些想法第一次出现在了《旁观者》（*Spectator*）杂志上。

图版目录

除特殊说明外，所有作品均为大卫·霍克尼所作。
尺寸以厘米（英寸）标注，长度在宽度前。

de Paris. © Raoul Dufy, ADAGP, Paris and DACS 2021

63 *Contre-jour in the French Style – Against the Day dans le style français*, 1974, oil on canvas, 182.9 × 182.9 (72 × 72). Ludwig Museum, Budapest

67 *The Student: Homage to Picasso*, 1973, etching, soft ground etching, lift ground etching, 75.6 × 56.5 (29¾ × 22¼), edition of 120.

69 *No. 507*, 10 September 2020, iPad painting

71 *La Grande Cour Living Room*, 2019 (detail), ink on paper (sketchbook), each page 21 × 29.8 (8¼ × 11¾). Collection of the artist

72–73 *Autour de la Maison, Printemps*, 2019, ink on paper (concertina sketchbook), folded 21.6 × 13.3 (8½ × 5¼), fully extended 21.6 × 323.9 (8½ × 127½). Collection of the artist

74–75 *Autour de la Maison, Printemps*, work in progress, July 2019. Photo: Jonathan Wilkinson

76 *Father, Paris*, 1972, ink on paper, 43.2 × 35.6 (17 × 14). David Hockney Foundation

77 *Mother, Bradford. 19th February 1979*, 1979, sepia ink on paper, 35.6 × 27.9 (14 × 11). David Hockney Foundation

79 Gustav Klimt, *Reclining Nude Facing Right*, 1912–13, pencil and red and blue pencil, 37.1 × 56 (14⅝ × 22⅛). Private collection

80 Vincent van Gogh, *Harvest – The Plain of La Crau*, 1888, reed pen and brown ink over graphite on wove paper, 24.2 × 31.9 (9⅝ × 12⅝). National Gallery of Art, Washington, DC, Collection of Mr and Mrs Paul Mellon, in honour of the 50th Anniversary of the National Gallery of Art

81 *Autour de la Maison, Hiver*, 2019 (details), ink on paper (concertina sketchbook), folded 21.6 × 13.3 (8½ × 5¼), fully extended 21.6 × 323.9 (8½ × 127½). Collection of the artist

82 Rembrandt van Rijn, *St Jerome Reading in a Landscape*, *c.* 1652, pen and wash on paper, 25.2 × 20.4 (10 × 8⅛). Hamburger Kunsthalle. Photo: Bridgeman Images

84 Pieter Bruegel the Elder, *Conversion of Paul*, 1567, oil on panel, 108.3 × 156.3 (42¾ × 61⅝). Gemäldegalerie, Kunsthistorishes Museum, Vienna

85 Pieter Bruegel the Elder, *Children's Games*, 1560, oil on panel, 118 × 161 (46½ × 63½). Gemäldegalerie, Kunsthistorishes Museum, Vienna

87 Pieter Bruegel the Elder, *The Adoration of the Kings in the Snow*, 1563 (detail), oil on oak wood panel, 35 × 55 (13⅞ × 21¾). Oskar Reinhart Collection 'Am Römerholz', Winterthur

88 Scenes from the Bayeux Tapestry, 11th century, wool thread on linen, overall length approx. 68.3 m (224 ft). Bayeux Tapestry Museum

93 *No. 556*, 19 October 2020, iPad painting

94 *Christmas Cards*, 2019, iPad paintings

100 *No. 99*, 10 March 2020, iPad painting

103 *No. 136*, 24 March 2020, iPad painting

104 The artist talking to the author via FaceTime, 10 April 2020. Photo: Jonathan Wilkinson

106 *No. 180*, 11 April 2020, iPad painting

109 *No. 132*, 21 March 2020, iPad painting

111 Lucas Cranach, *Cardinal Albrecht of Brandenburg Kneeling before Christ on the Cross*, 1520–5, oil on wood, 158.4 × 112.4 (62⅜ × 44⅜). Alte Pinakothek, Munich

114 The author at home, with Leon Kossoff's etching *Fidelma*, 1996, on the wall behind. Photo: Josephine Gayford. *Fidelma* etching © Estate of Leon Kossoff, courtesy of LA Louver, Venice, CA

117 *No. 717*, 13 March 2011, iPad painting

118 *No. 316*, 30 April 2020, iPad painting

121 Claude Monet, *The Artist's Garden at Giverny*, 1900, oil on canvas, 81.6 × 92.6 (32¼ × 36½). Musée d'Orsay, Paris. Photo: RMN-Grand Palais (Musée d'Orsay) / Hervé Lewandowski

123 *No. 318*, 10 May 2020, iPad painting

126 *Large Interior, Los Angeles, 1988*, 1988, oil, paper, and ink on canvas, 182.9 × 304.8 (72 × 120). Metropolitan Museum of Art, New York, Purchase, Natasha Gelman Gift, in honour of William S. Lieberman, 1989

127 *Breakfast at Malibu, Sunday, 1989*, 1989, oil on canvas, 61 × 91.4 (24 × 36). Private collection

129 Peter Paul Rubens, *A View of Het Steen in the Early Morning*, probably 1636 (detail), oil on oak, 131.2 × 229.2 (51¾ × 90¼). National Gallery, London, Sir George Beaumont Gift, 1823/8. Photo: National Gallery, London / Scala, Florence

130 Vincent van Gogh, *The Yellow House (The Street)*, 1888, oil on canvas, 72 × 91.5 (28⅜ × 36⅛). Van Gogh Museum, Amsterdam (Vincent van Gogh Foundation)

133 Vincent van Gogh, *Jardin Public à Arles*, 1888 Pen and ink on paper, 13.3 × 16.5 (5¼ × 6½). Private collection

135 Inside the house at La Grande Cour, July 2020. Photos: David Hockney

136 *No. 227*, 22 April 2020, iPad painting

139 *No. 229*, 23 April 2020, iPad painting

141 Andy Warhol, *Empire*, 1964 (film still), 16mm film, black and white, silent, 8 hours

索 引

插图页码以斜体标注。
（本索引页码为英文原版书页码）